D0708209

LES MAUX
DE TÊTE
CHRONIQUES

Conception graphique de la couverture: Violette Vaillancourt

DISTRIBUTEURS EXCLUSIFS:

- Pour le Canada et les États-Unis:
  LES MESSAGERIES ADP*
  955, rue Amherst, Montréal H2L 3K4
  Tél.: (514) 523-1182
  Télécopieur: (514) 521-4434
  * Filiale de Sogides Ltée

- Pour la Belgique et le Luxembourg:
  PRESSES DE BELGIQUE S.A.
  Boulevard de l'Europe 117
  8-1301 Wavre
  Tél.: (10) 41-59-66
       (10) 41-78-50
  Télécopieur: (10) 41-20-24

- Pour la Suisse:
  TRANSAT S.A.
  Route du Grand-Lancy, 2, C.P. 125, 1211 Genève 26
  Tél.: (41-22) 42-77-40
  Télécopieur: (41-22) 43-46-46

- Pour la France et les autres pays:
  INTER FORUM
  13, rue de la Glacière, 75624 Paris Cédex 13
  Tél.: (33.1) 43.37.11.80
  Télécopieur: (33.1) 43.31.88.15
  Télex: 250055 Forum Paris

ANTONIA VAN DER MEER

LES MAUX DE TÊTE CHRONIQUES

DIAGNOSTIC • TRAITEMENT PRÉVENTION

TRADUIT DE L'ANGLAIS
PAR
ALAIN ARPINO

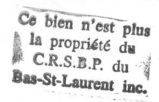

LES ÉDITIONS DE
L'HOMME

Données de catalogage avant publication (Canada)

Van der Meer, Antonia

    Les maux de tête chroniques: diagnostic, traitement, prévention

    Traduction de: Relief from headache.

    ISBN 2-7619-0969-0

    1. Céphalée.   I. Titre.

RG128.V3514 1991   616.8'491   C91-096631-1

Dépôt légal: 3⁰ trimestre 1991
Bibliothèque nationale du Québec

ISBN 2-7619-0969-0

REMERCIEMENTS

Nous remercions chaleureusement les personnes suivantes pour le temps qu'elles nous ont consacré, la qualité de leur savoir, la justesse de leurs informations et le bien-fondé de leurs opinions:

Dr Seymour Diamond, directeur de la Diamond Headache Clinic de Chicago et de la National Headache Foundation

Dr Ninan Mathew, directeur de la Houston Headache Clinic

Dr Paul S. Silver, professeur assistant de psychiatrie et de psychologie à la Southwest Medical School de l'Université du Texas à Dallas

Linda Barbanel, psychothérapeute à Manhattan

Dr Ajax George, neuroradiologue senior du Medical Center de l'Université de New York et professeur de radiologie à la faculté de médecine de la même université

La National Headache Foundation de Chicago, Illinois

L'American Association for the Study of Headaches de San Clemente, Californie

Préface

Chaque année, plus de 45 millions d'Américains consultent un médecin pour des maux de tête. Très souvent, ce dernier fait un diagnostic mais il n'explique pas toujours au patient ce qui est en son propre pouvoir pour minimiser ses douleurs.

De nombreuses victimes de maux de tête ne consultent jamais de médecin de crainte d'apprendre qu'elles sont atteintes d'une grave affection comme une tumeur ou un anévrisme du cerveau. Heureusement, leurs craintes sont rarement justifiées, car la grande majorité des maux de tête ne sont pas dus à une maladie cachée. Il faut aussi se réjouir car pratiquement tous les maux de tête sont contrôlables et guérissables.

L'excellent livre d'Antonia van der Meer que vous avez entre les mains devrait permettre à toutes les victimes de maux de tête d'en identifier le type et d'en découvrir les traitements disponibles. Le texte clair et rassurant donne des renseignements pratiques et des conseils de traitement. Ses chapitres détaillent les divers types de maux de tête comme les migraines, les céphalées unilatérales périodiques, les céphalées de tension, les migraines de nature physiologique, etc. Il parle aussi de l'importance de la prévention. L'auteur aborde encore le défi posé par les différentes approches diagnostiques d'une manière aussi intéressante que détaillée.

La victime de maux de tête peut choisir entre divers moyens de prévenir ses douleurs. L'autotraitement et des méthodes alternatives sont aussi abordés. Un grand nombre de traitements non médicamenteux comme les régimes alimentaires, le bio-feedback, la relaxation et d'autres moyens que le patient peut mettre lui-même en œuvre sont expliqués, car ils peuvent constituer des compléments très utiles au soulagement des maux de tête chroniques.

Quelques patients présentent parfois des problèmes psychologiques antérieurs à la manifestation de leurs maux de tête et qui peuvent même y avoir contribué. D'autres souffrent de séquelles psychologiques de maux de tête chroniques. La prise de conscience de ses problèmes psychologiques par le patient constitue souvent un élément vital du soulagement.

Ayant traité des maux de tête depuis trente-cinq ans et assumant en outre les fonctions de directeur de la National Headache Foundation et de la Diamond Headache Clinic de Chicago, j'ai pu observer personnellement des milliers de patients victimes de maux de tête et comprendre les difficultés qu'ils devaient affronter. Nombre d'entre eux passent beaucoup de temps à rechercher des renseignements sur leur affection et, pendant des années, suivent des traitements, subissent des analyses et endurent des souffrances inutiles. Il est essentiel de leur apprendre qu'ils peuvent jouer un rôle primordial dans la prévention et le soulagement de leurs maux. De nouveaux modes de traitement sont aussi maintenant disponibles. Ce livre est une excellente source de renseignements sur les causes et les traitements des maux de tête. Il traite aussi des recherches continuelles effectuées dans ce domaine. Je le recommande donc vivement à tous mes patients et à leur famille.

Les victimes de maux de tête n'ont plus à souffrir en silence. En apprenant à se soigner elles-mêmes, elles pourront soulager plus facilement leurs douleurs et retrouver la pleine maîtrise de leur vie.

Dᵣ SEYMOUR DIAMOND
Directeur de la National Headache Foundation

Introduction

Si vous êtes l'une des millions de victimes de maux de tête qui souhaitent retrouver la maîtrise de leur vie en faisant cesser la douleur qui les obsède, ce livre est conçu pour vous. Vous n'aurez plus à souffrir en silence. En l'achetant, vous avez fait la première démarche pour dominer la situation, car vous souhaitiez en savoir plus sur la douleur qui perturbe votre vie et trouver des moyens de la soulager.

Ce livre aborde la physiologie des maux de tête et vous guide à travers divers moyens de diagnostic vous permettant d'identifier les vôtres. Vous y apprendrez ce que sont les céphalées de tension, les migraines, les céphalées unilatérales périodiques, etc. En remplissant le «journal des maux de tête» qui y est inclus, vous pourrez analyser la manière dont ils vous affectent — leur fréquence, leur durée et les circonstances qui les aggravent. Vous découvrirez aussi de nombreuses méthodes non médicamenteuses pour les combattre *immédiatement*. Vous trouverez aussi le détail de ce que vous pouvez attendre de la médecine.

Il existe de nombreuses méthodes pour éviter l'apparition des maux de tête. Toutefois, même si vous n'y parvenez pas, cet ouvrage vous fournira des moyens de composer avec la douleur. Et pour finir, il aborde aussi les conséquences des maux de tête sur la psychologie de leurs victimes — la manière dont elles-mêmes et leur famille réagissent et dont certaines tentent de nier leur existence. Grâce à ce livre, vous retrouverez une vie normale et ne souffrirez plus jamais comme par le passé.

CHAPITRE 1

Définition du mal de tête

De toutes les affections, la plus commune et la plus affligeante est certainement le mal de tête. Bien que la communauté médicale en sache déjà beaucoup sur ses causes et ses traitements, tous les mystères du fonctionnement du cerveau humain sont encore loin d'être résolus. Il est cependant certain que les victimes de maux de tête ne sont pas des cas isolés, car ceux-ci sont pratiquement universels et n'épargnent que très peu de gens.

Pour beaucoup d'entre eux, le mal de tête est un léger inconvénient passager alors que, pour d'autres, il est violent, chronique et même invalidant. N'étant pas visible pour autrui, on pourrait croire que ses douleurs sont purement imaginaires. Bien que ses causes précises soient parfois extrêmement difficiles à diagnostiquer, le mal de tête existe bel et bien.

Si vous en souffrez vous-même, reprenez courage car il y a de l'espoir et des traitements. Vous n'êtes qu'un parmi d'autres à chercher des moyens d'apprivoiser la réalité de ses douleurs.

QU'EST-CE QUI CAUSE LES MAUX DE TÊTE?

En termes simples, un mal de tête est une douleur au niveau de la tête, du visage ou du cou. Il peut s'agir d'une douleur continue, d'un battement, d'un élancement ou d'une sensation de brûlure.

Les causes des maux de tête sont largement débattues. Il y a moins de cinquante ans, la migraine passait pour une maladie psychosomatique et les migraineux n'étaient pas toujours pris au sérieux. Les scientifiques ont découvert depuis que les maux de tête pouvaient être causés par des tensions musculaires, des maladies ou des troubles vasculaires au niveau de la tête (dilatation ou contraction des vaisseaux sanguins).

De nos jours, les médecins et les scientifiques pensent qu'ils peuvent avoir d'autres causes. La gêne entraînée par les vaisseaux sanguins et les muscles risque de n'être que le symptôme d'une anomalie physiologique du cerveau ou des nerfs. Ceux qui souffrent de maux de tête chroniques, et particulièrement de migraines, peuvent y être prédisposés par des anomalies dans l'action de certaines substances chimiques du cerveau.

La sérotonine est l'une de celles qui sont liées aux maux de tête. Elle agit comme messager et influence le sommeil, l'humeur et la contraction, et la dilatation des vaisseaux sanguins. Une migraine peut se déclencher en cas d'insuffisance de sérotonine. Parfois, ce n'est pas la quantité de sérotonine produite qui constitue le problème; en effet, certains enzymes peuvent la détruire et en abaisser le taux. Les récepteurs qui la reçoivent ou la libèrent normalement peuvent aussi être défectueux et ne plus remplir correctement leur rôle. Les chercheurs ont identifié plusieurs types de récepteurs et concentrent leurs travaux sur la manière dont ils influencent les migraines.

Les recherches sur les maux de tête sont aussi centrées sur le taux de sérotonine dans le cerveau et les facteurs qui le modifient. Mais les véritables causes physiologiques des maux de tête demeurent néanmoins vagues. Fondamentalement, nous savons que des modifications musculaires, vasculaires ou physiologiques causent des douleurs et qu'elles ne sont pas forcément influencées par des modifications des composés chimiques du cerveau. Cependant, les influences externes qui semblent provoquer les maux de tête sont beaucoup mieux connues que les causes internes.

TYPES DE MAUX DE TÊTE

Tous les maux de tête ne se ressemblent pas. Certains sont légers et d'autres très violents. Certains sont la conséquence du stress ou de la faim alors que d'autres sont liés à une maladie ou à une affection chronique comme l'arthrite. Les pages suivantes donnent la liste et une brève description de leurs différents types. Certains seront détaillés dans les chapitres suivants. Seul un médecin peut diagnostiquer le type des vôtres, mais cette liste vous familiarisera avec tous les types connus et vous donnera des indices pour reconnaître celui qui vous concerne.

Céphalées de tension

Les céphalées de tension sont probablement les maux de tête les plus courants. Elles proviennent d'une tension des muscles de la tête et du cou. Le mal de tête qui en résulte est une douleur ou une pression continue sans battements ni pulsations. Elles ne sont pas la conséquence d'une maladie cachée. Elles peuvent être aiguës (épisodes courts) ou chroniques (répétition). Une céphalée de tension aiguë peut faire suite à un récent épisode de stress ou de fatigue. Elle peut aussi résulter d'un état profondément dépressif ou d'autres troubles psychologiques.

Céphalées des hypertendus

Les hypertendus *(patients souffrant d'hypertension artérielle)* ressentent souvent des maux de tête. Ceux-ci sont habituellement plus violents le matin et la douleur s'estompe dans le courant de la journée. La pression ressentie peut soit s'étendre à toute la tête, soit l'enserrer comme un «bandeau».

Migraines

Maux de tête vasculaires (dus à une dilatation des vaisseaux sanguins), leurs symptômes ne se limitent pas à des douleurs. Les crises de migraine peuvent aussi s'accompagner de nausées, de vomissements, d'étourdissements, d'engourdissements et de troubles visuels. Elles affectent habituellement un seul côté de la tête ou un emplacement précis comme l'œil ou la tempe. Le mot «migraine» vient d'ailleurs du grec *hemicrania* qui signifie «affection de la moitié de la tête». Malgré la grande fréquence des migraines, personne n'a pu identifier clairement leurs causes. Les femmes constituent 75 % de la population des migraineux. Leur prédisposition semble être héréditaire car la grande majorité des migraineux sont issus de familles dont d'autres membres sont affectés.

Céphalées unilatérales périodiques

Les céphalées unilatérales périodiques touchent habituellement les hommes qui forment 90 % de la population affectée. Les douleurs sont extrêmement violentes et peuvent conduire des patients à se taper la tête contre les murs ou même à envisager le suicide. La plupart des victimes sont des fumeurs. Comme pour les migraines, ces maux de tête sont localisés à une seule partie de la tête. Ils peuvent être limités à la région de l'œil. L'intensité et le type des douleurs sont cependant différents des migraines — il peut s'agir de sensations de brûlure, de douleurs en vrille ou de pulsations douloureuses. Le nez se congestionne ou coule d'un seul côté. Un œil peut être injecté de sang et larmoyant. Les céphalées unilatérales périodiques peuvent ne durer que vingt minutes tout en se répétant plusieurs fois par jour pendant des semaines. Elles peuvent ensuite disparaître pendant des mois ou des années avant de se manifester à nouveau sans aucun signe avant-coureur.

Céphalées menstruelles

Les douleurs des céphalées menstruelles ressemblent à celles des migraines. Elles se font sentir au moment de l'ovulation ou juste après et disparaissent avec l'arrivée des règles. La régularité mensuelle de leur apparition est le meilleur indicateur de leur origine.

Céphalées d'épuisement

Les céphalées d'épuisement apparaissent à la suite d'un surmenage physique de n'importe quelle origine, y compris les excès sexuels. Chez certaines victimes, la toux et le rire peuvent aussi en être à l'origine. Près de 10 % d'entre elles souffrent d'une autre affection purement physiologique comme une tumeur ou un anévrisme du cerveau (rupture d'un vaisseau sanguin) et doivent consulter immédiatement un médecin.

Céphalées de la sinusite

Les maux de tête de la sinusite sont causés par la congestion des sinus devenus incapables de se vider à la suite d'une infection.

Artérite temporale

Touchant principalement les quinquagénaires, les maux de tête de l'artérite temporale sont causés par l'inflammation des artères du cou et de la tête. La douleur qui en résulte est une sensation de brûlure ou de picotement. L'artérite temporale est une affection rare mais grave qui peut conduire à l'attaque d'apoplexie ou à la cécité. Elle nécessite un prompt traitement médical.

Troubles de l'articulation temporo-maxillaire

Les troubles de l'articulation temporo-maxillaire affectent l'articulation de la mâchoire inférieure sur le crâne et les muscles qui l'actionnent. Ils peuvent être causés par le désalignement d'une dent, le blocage de la mâchoire ou le grincement des dents. Ces troubles peuvent être responsables de diverses manifestations et douleurs. Les maux de tête qui en résultent en sont une conséquence assez commune.

Céphalées de la «gueule de bois»

Les maux de tête consécutifs à l'absorption d'une quantité excessive d'alcool sont dus à la dilatation et à l'irritation des vaisseaux sanguins qui alimentent le cerveau et les tissus environnants. Les battements douloureux ressemblent à ceux de la migraine et sont souvent accompagnés de nausées.

Céphalées allergiques

La manifestation de maux de tête d'origine allergique est annoncée par le larmoiement des yeux et la congestion du nez. L'allergie responsable est habituellement saisonnière (pollen) et n'a rien à voir avec l'alimentation.

Céphalées du sevrage de caféine

La caféine, une substance présente dans de nombreux aliments et boissons, a la particularité de faire contracter les vaisseaux sanguins. Nombre de ceux qui ne prennent pas leur café matinal ou ne consomment pas de boissons contenant de la caféine pendant les fins de semaine souffrent de maux de tête dus à son sevrage. Ils sont la conséquence de son effet ricochet sur les vaisseaux sanguins qui se dilatent en réaction à sa privation. Cette dilatation secondaire provoque des douleurs.

Tic douloureux de la face

Il s'agit d'une affection rare de la circulation de l'influx nerveux qui touche principalement la femme de plus de cinquante-cinq ans. Ses victimes ressentent des douleurs en coups d'épingle au visage et doivent consulter rapidement un médecin.

Céphalées de tumeur au cerveau

Bien que presque tous ceux qui souffrent de maux de tête pensent immédiatement qu'ils sont le signe d'une tumeur au cerveau, ce n'est que très rarement le cas. Seulement 0,1 à 0,5 % des victimes de maux de tête les doivent à une tumeur du cerveau passée inaperçue. Les céphalées d'une telle tumeur comportent une douleur qui augmente et s'accompagne souvent de vomissements en jet, de troubles de la parole et de la vision, de problèmes de coordination ou d'équilibre et de crises d'épilepsie.

Autres types de maux de tête

D'autres types de maux de tête sont la conséquence de traumatismes, de la faim, de la fièvre, de l'arthrite ou de la fatigue oculaire. Les *céphalées traumatiques* (comme celles causées par un coup sur la tête) peuvent ressembler à des migraines mais elles sont persistantes et résistent aux traitements. Les *céphalées d'inanition* se produisent souvent vers midi, au moment où le taux de sucre dans le sang est au plus bas et où les vaisseaux sanguins se dilatent en réaction. Les *céphalées d'hyperthermie* sont dues à l'inflammation des vaisseaux sanguins de la tête par la fièvre. L'*arthrite* peut aussi provoquer des maux de tête à cause de l'inflammation des articulations et des muscles de la tête et du cou. Les douleurs s'intensifient avec le mouvement. Les *migraines oculaires* provoquent souvent une douleur continue à l'avant de la tête et sont dues à des troubles de la vision comme l'astigmatisme.

PERCEPTION DE LA DOULEUR

Le cerveau est lui-même relativement insensible à la douleur, mais les tissus qui l'entourent — membranes, artères et nerfs — sont capables de la percevoir. L'intensité de la douleur des maux de tête ne dépend pas seulement de leur gravité mais aussi de la manière dont la victime la perçoit et y réagit, et de son propre *seuil de douleur*.

Chaque individu a le sien qui est susceptible de se modifier au cours de la vie, en fonction de facteurs psychologiques et physiologiques. En général, la joie et le bien-être ont tendance à augmenter la résistance à la douleur alors que la dépression provoque l'effet contraire. L'abaissement du seuil de la douleur au cours des périodes dépressives peut être dû à la diminution du taux d'endorphines dans l'organisme. Les endorphines sont des substances sécrétées par le cerveau et qui possèdent des propriétés analgésiques.

QUAND CONSULTER UN MÉDECIN?

Il n'est pas nécessaire de se précipiter chez le médecin au moindre mal de tête. Toutefois, si le vôtre est plus qu'un simple désagrément passager, vous souhaitez probablement en parler avec un médecin. De nombreux maux de tête nécessitent effectivement une attention médicale.

Vous ne devez jamais hésiter à consulter un médecin dès qu'un problème de santé vous préoccupe. Vous n'avez aucune raison de continuer à souffrir parce que vos maux de tête ne mettent pas votre vie en danger. En règle générale, vous devez consulter un médecin lorsqu'ils deviennent trop fréquents ou qu'ils vous perturbent trop.

Il est nécessaire de consulter un médecin si vous ressentez les troubles suivants:

- Un mal de tête soudain et extrêmement violent qui diffère de vos douleurs habituelles. (C'est parfois un symptôme d'anévrisme au cerveau.)
- Un mal de tête qui devient continuel et augmente d'intensité. (Cela peut être — mais rarement — un symptôme de tumeur au cerveau.)
- Des maux de tête dont la fréquence augmente.
- Un mal de tête accompagné de symptômes neurologiques comme la faiblesse des membres, des engourdissements ou des troubles de la vision.
- Un mal de tête accompagné de fièvre, de maux de gorge, d'essoufflement ou de troubles de l'ouïe et de l'odorat. (Symptômes de bien des affections, depuis la méningite jusqu'à une maladie de cœur.)
- Des maux de tête qui commencent après cinquante-cinq ans. (Cela peut être un signe d'artérite temporale, de tic douloureux de la face ou d'une autre maladie grave.)
- Un mal de tête causé par une blessure à la tête, surtout s'il est accompagné de délire, d'une mauvaise articulation de la parole, d'engourdissements, de fièvre, d'écoulement de sang ou d'un liquide incolore par le nez ou les oreilles.
- Un mal de tête accompagné de douleurs aux yeux ou aux oreilles.
- Un mal de tête qui ne répond pas au traitement.
- Un mal de tête qui affaiblit l'état général.

- Un mal de tête qui perturbe vos relations avec autrui, votre travail ou votre vie.
- Un changement dans le caractère de vos maux de tête.
- Des maux de tête qui vous obligent à prendre quotidiennement des médicaments sans prescription.

Allez immédiatement dans un service d'urgence si vous craignez une rupture d'anévrisme, une attaque d'apoplexie (douleur insupportable associée à une raideur de la nuque, une vision double et une éventuelle perte de conscience), une méningite (mal de tête accompagné de fièvre et de douleurs aux articulations ou à la gorge) ou si vous venez de vous blesser sérieusement à la tête.

Chapitre 2

Un «journal des maux de tête»

Si vous êtes victime de maux de tête, la première étape de la prise en charge de votre santé est d'en savoir le plus possible sur le moment et les raisons de leur manifestation. Avant de continuer votre lecture, il est essentiel de mieux connaître leur nature. L'identification de leur type, de leur intensité, de leurs signes avant-coureurs et de leurs symptômes vous aidera, vous et votre médecin, à mettre au point un plan de traitement. *N'oubliez pas cependant que seul un médecin peut poser un diagnostic.* Le but de ce journal est de souligner les similitudes de vos maux de tête et d'en dégager le modèle.

Essayez d'y être honnête et de bonne foi. Notez-y tout ce qui se rapporte à vos maux de tête pendant au moins un mois. Utilisez la rubrique «Commentaires» pour rassembler tous les facteurs qui semblent les déclencher. Un modèle peut commencer à s'ébaucher car ils peuvent sembler liés à une certaine période du mois, à un stress professionnel, à vos habitudes de sommeil pendant les fins de semaine ou à votre consommation de caféine.

Voici comment utiliser ce journal.

1. Photocopiez les pages types (voir pages 24 à 26) ou utilisez un carnet qui comportera une colonne par rubrique (date, signes avant-coureurs, etc.).

2. Toutes les fois que vous avez mal à la tête, notez-y tous les renseignements utiles. Inspirez-vous pour cela de l'exemple suivant.

3. Rédigez ce journal pendant au moins un mois.

4. Grâce à tous les renseignements recueillis, remplissez l'«Analyse du journal des maux de tête». Essayez de découvrir leur modèle ou leurs points communs.

5. Si vos maux de tête ne sont pas fréquents ou si aucun modèle ne semble s'ébaucher, continuez ce journal pendant un mois de plus. Remplissez une nouvelle «Analyse du journal des maux de tête».

6. Si vous consultez un médecin pour vos maux de tête, apportez-lui votre journal et vos analyses car ils peuvent s'avérer très utiles pour leur diagnostic et leur traitement.

Journal des maux de tête

Exemple:

Date	11/5
Signes avant-coureurs	sensation de faim
Début:	14 h 30
Fin:	20 h 00
Type de douleur:	battements
Intensité de la douleur:	1 2 3 4 5 6 7 8 9
Localisation de la douleur:	front
Traitement ou médicament:	aucun
Effet du traitement:	———
Commentaires:	pas mangé à midi, en retard dans mon travail

Date:	_____
Signes avant-coureurs:	_____
Début:	_____
Fin:	_____
Type de douleur:	_____
Intensité de la douleur:	1 2 3 4 5 6 7 8 9
Localisation de la douleur:	_____
Traitement ou médicament:	_____
Effet du traitement:	_____
Commentaires:	_____

Analyse du journal des maux de tête

Renseignements personnels

Sexe:_____

Âge: _____

Poids: _____

Programme d'exercice (si justifié): _____

Âge au début des maux de tête:_____

Autres victimes dans la famille (si justifié):_____

_____

_____

Description des maux de tête

Nombre total au cours d'une semaine:_____

Nombre total au cours d'un mois: _____

Nombre de maux de tête du matin: _____

Nombre de maux de tête de l'après-midi: _____

Nombre de maux de tête qui durent un ou plusieurs jours: _____

Nombre de maux de tête affectant toute la tête:_____

Nombre de maux de tête n'affectant qu'un côté ou une partie de la tête: _____

Maux de tête invalidants?   OUI ❑   NON ❑

Si oui, combien? _____

Nombre de maux de tête d'intensité légère à modérée: _____

Est-ce que vos maux de tête vous réveillent la nuit?   OUI ❑   NON ❑

Est-ce que vos maux de tête vous réveillent de bon matin? OUI ❑   NON ❑

Est-ce que vos maux de tête vous empêchent de vous endormir le soir?

                                                          OUI ❑   NON ❑

Durée moyenne de vos maux de tête (minutes ou heures): _____

Intensité moyenne de vos maux de tête: 1 2 3 4 5 6 7 8 9

Dans la rubrique «Commentaires», notez tout ce qui aurait pu déclencher vos maux de tête. Vérifiez le nombre de maux de tête qui semblent être déclenchés par:

Stress affectif (conflits familiaux, soucis professionnels, etc.):_____

Besoin accru de sommeil ou changement dans son rythme (entre les jours de travail et les fins de semaine): _____

Insomnies:_____

Exercice ou surmenage: _____

Alimentation (cuisine chinoise, fromage à pâte ferme, chocolat): _____

Repas pris trop vite, sautés ou pris plus tard qu'à l'habitude: _____

Syndrome prémenstruel: _____

Changements de routine (travail, maison ou habitudes): _____

Changements météorologiques: _____

Maladies: _____

Fatigue: _____

Autres: _____

Description du traitement

Nombre de prises d'analgésiques pour un mal de tête: _____

Liste des traitements essayés (aspirine, massages, régime alimentaire, médicaments sur prescription, etc.): _____

_____

Si l'un de ces traitements vous a soulagé ou permis de supporter la douleur, quel est-il? _____

_____

Est-ce que l'un des traitements essayés a aggravé la douleur? OUI ❏   NON ❏

Si oui, lequel? _____

Description des périodes sans maux de tête

Prenez le temps de réfléchir aux jours, aux semaines ou aux mois pendant lesquels vous n'avez pas souffert de maux de tête. Que s'est-il passé au travail ou à la maison pendant ces périodes? Quel type d'aliments avez-vous ou n'avez-vous pas mangé? Votre rythme de sommeil nocturne ou de siestes a-t-il changé? Pour les femmes, à quelle période de votre cycle menstruel n'avez-vous pas souffert de maux de tête? Notez vos commentaires et vos sentiments ci-dessous. _____

_____

_____

_____

Après avoir rédigé votre journal des maux de tête, vous devriez avoir une idée plus précise de leur type et des facteurs qui les déclenchent. Une fois ces facteurs identifiés, vous devriez pouvoir éviter leur répétition. Par exemple, si vous vous rendez compte que vos maux de tête sont causés par l'alimentation, vous pouvez modifier votre régime alimentaire. Il s'agit là d'une première étape importante dans l'apprentissage de leur maîtrise.

Plus vous et votre médecin en saurez sur vos maux de tête et plus leur diagnostic et leur traitement seront facilités. Après avoir rempli votre journal, si vous croyez souffrir d'un type particulier, reportez-vous au chapitre ou à la rubrique qui en parle et apprenez-en le plus possible sur les détails de sa physiologie et de son traitement.

CHAPITRE 3

Les migraines

Les migraines peuvent avoir un effet dévastateur mais la démission n'est pas la seule attitude à leur opposer. En apprenant le maximum à leur sujet, en remarquant les facteurs qui les déclenchent et en découvrant les traitements de ce chapitre, vous serez en mesure d'acquérir une certaine maîtrise de ce qui vous semble aujourd'hui totalement hors de contrôle.

Bien que les migraines soient connues depuis des milliers d'années, la médecine a dû parcourir un long chemin avant de comprendre le syndrome qu'elles constituent. Jusqu'en 1950, les livres qui en parlaient les classaient encore au chapitre des manifestations épileptiques et, par la suite, on les a qualifiées de troubles psychosomatiques. Aujourd'hui, nous savons que les migraines sont des maux de tête vasculaires entraînés par des modifications des vaisseaux sanguins de la tête. Nous savons aussi qu'elles peuvent affecter pratiquement n'importe qui avec une douleur aussi réelle que désagréable.

La première crise peut avoir lieu entre les âges de cinq et quarante ans, mais elle se produit habituellement pendant l'adolescence. Si vous devez souffrir de migraines, votre première crise aura certainement lieu avant la quarantaine. Les deux sexes sont affectés presque identiquement pendant la puberté, mais ce sont les femmes qui en souffrent le plus par la suite. Leur prédisposition semble être de nature héréditaire, car de 70 à 90 % des migraineux sont issus de familles comptant d'autres membres dans le même cas qu'eux. D'après la National Headache Foundation, aux États-Unis, les statistiques sont aujourd'hui les suivantes: si les deux parents souffrent de migraines, leur enfant risque d'en hériter dans une proportion de 75 %. Si un seul parent est atteint, les risques pour l'enfant ne sont plus que de 50 %. Si c'est un parent plus éloigné qui est atteint, les risques pour ses descendants ne sont plus que de 20 %.

Les migraines touchent 18 millions d'Américains. Leurs crises ont une intensité qui varie de modérée à assez grave. Elles peuvent être espacées ou fréquentes, parfois même hebdomadaires. Elles affectent habituellement un seul côté de la tête, mais quelquefois les deux. On en connaît deux types: la migraine classique et la migraine commune.

La *migraine classique* comporte une phase préalable qui prévient de l'imminence d'une crise. Cette phase est aussi appelée *stade précurseur* ou *phase prodromique*. Pour beaucoup de gens, cette phase est la partie la plus effrayante de la crise. On pense qu'elle résulte de la contraction des vaisseaux sanguins, ce qui a pour effet de diminuer l'afflux de sang au cerveau. Au cours de cette phase, certains signes peuvent apparaître comme des troubles de la vision ou de la parole, des engourdissements, des sueurs, des picotements au visage, une faiblesse des bras ou des jambes et d'autres manifestations comparables. Les troubles de la vision peuvent être un *scotome* (tache aveugle) ou des déformations en zigzag. Des éclairs lumineux peuvent aussi être perçus. Les silhouettes peuvent être déformées à la manière de celles d'*Alice au pays des merveilles*. Les troubles de la parole se présentent souvent comme une difficulté à trouver le mot juste. Très rarement, le migraineux est totalement incapable de parler.

Certains migraineux connaissent seulement cette première phase sans les maux de tête qui la suivent. Plus couramment toutefois, la contraction des vaisseaux sanguins est suivie d'une dilatation dans les trente à quarante minutes, ce qui cause une douleur battante et rythmée. On pense que ces modifications des vaisseaux sanguins sont causées par des changements dans la chimie du cerveau. Les battements douloureux sont souvent exacerbés par des nausées, une sensation de fatigue, de l'irritabilité, des vomissements, une photophobie (sensibilité excessive à la lumière), une phonophobie (sensibilité excessive aux sons) et, plus rarement, de la constipation ou des diarrhées.

La *migraine commune* est, comme son nom l'indique, d'apparition plus courante. Environ 80 % des migraineux en souffrent. Ses douleurs ne sont pas précédées de phase préalable ni de signes annonciateurs. La douleur battante et rythmée de la migraine commune est exactement la même que celle de la phase douloureuse de la migraine classique, leur seule différence tenant dans ce qui les précède.

L'enfant peut aussi souffrir de migraines. En fait, les migraines commencent souvent pendant l'enfance. Toutefois, chez l'enfant, la phase douloureuse est souvent moins marquée que les nausées, les vomissements, la fièvre et l'hypersensibilité à la lumière. Il est parfois difficile de faire un diagnostic à partir de ces symptômes et l'affection peut d'abord passer pour des troubles digestifs ou même une crise d'appendicite.

On pense souvent que l'enfant migraineux a le même type de personnalité que l'adulte migraineux — une personnalité «inquiète». L'enfant peut aussi être exagérément soucieux de son travail et de sa vie sociale. Le travail scolaire peut engendrer beaucoup de stress, tout comme les changements d'école, les déménagements dans une autre ville ou l'absence d'invitation à certaines fêtes.

Le traitement de l'enfant se fait habituellement sans l'aide de médicaments. Ses maux de tête peuvent être traités par un régime alimentaire, de bonnes habitudes de sommeil et d'exercice et les techniques de relaxation du bio-feedback. On utilise habituellement de l'acétaminophène contre les douleurs déclarées. En cas d'aggravation ou de multiplication, le médecin peut prescrire un médicament contre la douleur et les nausées. Les médicaments de l'enfant sont les mêmes que ceux de l'adulte, mais à dose et à concentration plus faibles.

LES SYMPTÔMES DES MIGRAINES

Consultez la liste suivante pour reconnaître les manifestations de migraines.

- Avant que commencent les maux de tête, vous pouvez ressentir un stade précurseur — une espèce de signal d'avertissement comme des troubles de la vision ou de la parole, des étourdissements ou même des vertiges.
- Les maux de tête se limitent habituellement à un seul côté de la tête mais cela peut changer pendant la crise. (Environ un tiers des migraineux trouvent que le battement douloureux affecte les deux côtés de la tête.)
- Les maux de tête se produisent de temps à autre mais pas tous les jours.
- La douleur se présente comme un violent battement ou une forte pulsation.
- Les maux de tête peuvent être accompagnés de nausées ou de vomissements.
- Lorsque vous avez mal à la tête, vous devenez extrêmement sensible à la lumière (photophobie).
- Lorsque vous avez mal à la tête, vous devenez extrêmement sensible aux bruits (phonophobie). Le simple tic-tac d'une montre peut devenir insupportable.
- Pendant la phase douloureuse, vous préférez vous allonger dans le calme en essayant de ne pas bouger la tête. Au cours d'une crise de migraine, les simples mouvements de la tête sont douloureux.
- À la fin des douleurs, une phase secondaire pendant laquelle vous vous sentez épuisé peut s'instaurer. Votre tête peut être douloureuse au toucher.
- Les maux de tête débutent souvent après une période de stress intense.
- Chez la femme, les crises peuvent se produire régulièrement tous les mois, au moment de l'ovulation ou avant les menstruations.

- Certains aliments et boissons comme le chocolat et l'alcool peuvent déclencher les douleurs.
- Une pression de la tempe ou un soutien du côté affecté peut soulager la douleur.
- Le mal de tête peut cesser après quelques heures mais il se prolonge habituellement pendant 8 à 24 heures.
- Le visage peut pâlir alors que les pieds et les mains se refroidissent.

Les douleurs des migraines ne sont pas systématiquement semblables aux descriptions données en exemple. C'est la raison pour laquelle nous vous conseillons vivement de consulter un médecin pour des maux de tête graves ou leurs troubles associés. Les signes et les manifestations de migraines décrits ci-dessus sont très généraux et seul un médecin peut établir un diagnostic fiable.

LA «PERSONNALITÉ MIGRAINEUSE»

Qui a le plus de chance de souffrir de migraines? L'existence d'une «personnalité migraineuse» est le sujet d'ardents débats. En ce moment, de nombreux médecins pensent qu'il *existe* une relation entre les traits de la personnalité et la prédisposition physiologique aux maux de tête. Le questionnaire suivant vous aidera à découvrir si certains traits de votre personnalité vous prédisposent particulièrement aux migraines.

Avant de le remplir, n'oubliez pas que le terme de *personnalité* est pris ici dans son sens large. La relation entre les types de personnalité et les maux de tête n'a jamais pu être *démontrée*. La «personnalité migraineuse» ne peut jouer un rôle que dans la mesure où le stress agit sur vos maux de tête. Chez certaines personnes, les mêmes situations de stress ou les mêmes traits de personnalité peuvent aussi bien provoquer des ulcères à l'estomac que des maux de dos.

Les traits de personnalité et les tendances du questionnaire suivant peuvent tous faire augmenter le niveau du stress. Si vous avez déjà une prédisposition physiologique aux maux de tête, le stress associé à ces traits de personnalité peut encore aggraver le problème.

1. Menez-vous une vie extrêmement rangée?   OUI❑   NON ❑

2. Êtes-vous intransigeant (sur la propreté, la ponctualité ou le travail)?   OUI❑   NON ❑

3. Avez-vous une attitude rigide ou intraitable?   OUI❑   NON ❑

4. Détestez-vous les changements?   OUI❑   NON ❑

5. Essayez-vous de faire plusieurs choses à la fois?   OUI❑   NON ❑

6. Vous sentez-vous souvent fatigué?   OUI❑   NON ❑

7. Vous surmenez-vous facilement?   OUI❑   NON ❑

8. Maîtrisez-vous vos sentiments de colère?   OUI❑   NON ❑

9. Êtes-vous ambitieux ou très préoccupé par le succès?   OUI❑   NON ❑

10. Êtes-vous perfectionniste?   OUI❑   NON ❑

11. Votre nature exigeante vous rend-elle intolérant envers autrui?   OUI❑   NON ❑

Si vous avez répondu «oui» à la majorité des questions, vous risquez d'être plus facilement sujet aux migraines que d'autres.

Depuis les années 30, les migraineux ont été classés par les chercheurs dans les personnalités obsessionnelles-compulsives. L'enfant migraineux est décrit comme timide, tendu et renfermé. Il est simultanément obéissant et provocant et il peut faire des accès de colère à cause de sa frustration. L'adulte migraineux est exigeant, moralisateur, ambitieux et préoccupé de sa réussite. Consciencieuse et obstinée, souvent inflexible, cette personnalité conduit à une vie très ordonnée. On traite souvent le migraineux de *perfectionniste*. Ce type de personnalité souffre souvent de troubles sexuels.

Toutefois, les recherches effectuées au cours des années 80 permettent de penser que le migraineux peut avoir une personnalité pratiquement normale et ne pas être plus névrosé ou obsédé que la moyenne de la population. Certains chercheurs ont enquêté sur les études de personnalité précédentes et en ont déduit que certains des traits de caractère souvent associés aux migraines (rigidité, intolérance, colère) risquaient plus d'être la conséquence de la douleur que celle de la personnalité profonde du migraineux.

De plus, les cas étudiés par les premiers chercheurs risquent de ne pas avoir été représentatifs de tous les migraineux, car seulement 50 % d'entre eux consultent un médecin. Les renseignements sur la personnalité ne sont donc représentatifs que de ceux qui consultent un médecin et risquent de n'avoir pas grand rapport avec les autres.

Finalement, les traits dominants des personnalités «inquiètes» de type A ne sont liés aux maux de tête que dans la mesure où ceux qui en souffrent réagissent par du stress et sont déjà prédisposés aux maux de tête. La définition du stress variant beaucoup d'un individu à l'autre, ce fait doit être pris en considération. Par exemple, deux personnes parachutées d'un avion peuvent avoir des réactions très différentes à cette situation potentiellement stressante: l'une peut être terrifiée alors que l'autre peut considérer cela comme un sport. De la même manière, un individu avide de réussite qui surcharge sa journée de travail peut rester parfaitement calme alors qu'un autre, confronté au même niveau d'activité, peut être complètement stressé et souffrir de migraine.

CE QUE CACHENT LES MAUX DE TÊTE

Qu'est-ce qui provoque les migraines? Le processus physiologique complexe est encore mal compris des scientifiques, mais les maux de tête semblent bien être liés à des modifications vasculaires. Un grand nombre de facteurs peuvent directement ou indirectement en être responsables et provoquer la migraine. Voici quelques-uns d'entre eux:

Stress et fatigue

La plupart des spécialistes s'accordent à penser que de nombreux migraineux souffrent de stress. Celui-ci peut être engendré par la colère réprimée et le ressentiment. Des situations éprouvantes et des changements peuvent déclencher des crises de migraine chez ceux qui y sont prédisposés. La fatigue et le manque de sommeil peuvent aussi être coupables — le migraineux, gros travailleur et méticuleux, se met en situation propice lorsqu'il s'épuise. Mais l'excès de sommeil peut être aussi néfaste que son manque, car il risque de perturber l'équilibre du taux de sucre dans le sang et de déclencher des maux de tête.

Alimentation

Bien qu'on ne puisse pas en expliquer la raison avec précision, des aliments et des boissons sont reliés à des crises de migraine chez certaines personnes. La relation avec l'alcool est assez évidente car l'alcool est vasodilatateur — il fait dilater les vaisseaux sanguins. Cette dilatation peut entraîner des maux de tête vasculaires chez un migraineux.

La tyramine — un produit chimique retrouvé dans les aliments comme les fromages vieillis, les noix et la levure — peut aussi entraîner des migraines. Elle peut faire s'élever la tension artérielle et entraîner des battements douloureux dans la tête. Une étude effectuée en 1970 a montré que les migraineux ne métabolisaient pas la tyramine comme les autres. Cette particularité peut jouer dans leur sensibilité aux effets des aliments qui en contiennent. (Cette hypersensibilité n'a toutefois rien de commun avec une réaction allergique.)

Le jeûne peut aussi provoquer des maux de tête vasculaires par diminution du taux de sucre dans le sang. Les migraineux doivent donc manger trois repas par jour et éviter l'excès d'hydrates de carbone. Reportez-vous aux pages 76 à 79 pour les aliments à éviter.

Variations hormonales

Près de 60 à 70 % des femmes qui souffrent de migraines parlent d'une relation entre leurs crises et leur cycle menstruel. Avec une grande régularité, leurs migraines se déclenchent juste avant, pendant ou à la fin des règles. C'est la régularité des crises qui constitue le meilleur indicateur de l'origine hormonale des migraines.

Normalement, les variations mensuelles du taux d'hormones de la femme ne posent pas de problèmes car elles ne font que démontrer le rôle du corps féminin. Mais chez certaines femmes, le taux d'œstrogènes est déséquilibré. Les maux de tête attribuables au syndrome prémenstruel peuvent être déclenchés par ce déséquilibre — habituellement un excès d'œstrogènes par rapport à la progestérone. L'excès d'œstrogènes et l'insuffisance de progestérone peuvent entraîner un grand nombre de manifestations désagréables, dont des maux de tête.

Des médicaments contenant des œstrogènes, comme la pilule contraceptive et certaines hormones prescrites après la ménopause, peuvent aggraver les migraines. Vérifiez que votre gynécologue connaît l'existence de vos migraines avant de lui parler de contraception.

Le syndrome prémenstruel, considéré comme une «invention purement féminine» dans le passé, est aujourd'hui pris au sérieux par la plupart des médecins. Habituellement, la grossesse fait disparaître les maux de tête d'origine hormonale (bien que de rares femmes aient leur première crise de migraine à ce moment-là).

TRAITEMENT

Ne vous résignez pas à vivre avec la douleur des migraines car il y a de l'espoir malgré les difficultés de traitement. Même si elles ne sont pas totalement éliminées, les crises peuvent être maîtrisées et leur fréquence diminuée. Avec de la persistance, de la patience, un bon médecin et ce livre, vos crises de migraine devraient s'espacer et s'alléger. Le traitement doit être personnalisé car les types de migraines et les facteurs favorisants sont différents pour chacun. Selon la fréquence, la gravité et le type de vos crises de migraine, vous souhaitez peut-être essayer de les soulager sans utiliser de médicaments. Certaines personnes y parviennent grâce à la seule utilisation de techniques de relaxation, de régime alimentaire et d'autres méthodes non médicamenteuses. Si vous consultez un médecin pour vos migraines, il peut vous suggérer d'utiliser des méthodes de prévention pour éviter leur installation ou des traitements abortifs pour vous aider à enrayer les crises ou à les prévenir. Au traitement prescrit par un médecin, vous pouvez, si nécessaire, incorporer de nombreuses méthodes non médicamenteuses pour combattre les migraines.

Traitements non médicamenteux

Essayez d'éviter *les aliments et les boissons* qui déclenchent vos maux de tête (voir tableau des pages 77 à 79).

Un changement de médicaments peut avoir un effet bénéfique sur vos maux de tête. Si, par exemple, la pilule contraceptive paraît être responsable de leur apparition ou de leur aggravation, votre médecin pourra vous conseiller d'en cesser l'utilisation.

Mettez en œuvre des *techniques de relaxation* pour diminuer votre stress et empêcher les tensions inutiles du cou (voir pages 79 à 82).

Mettez en œuvre des *techniques de réduction du stress* (voir pages 82 à 88) pour simplifier votre vie et la rendre plus heureuse.

L'*exercice physique régulier* (sauf avis contraire de votre médecin) peut avoir un effet bénéfique sur votre circulation, votre bien-être physique et affectif, et vos capacités à résister aux maux de tête.

La *caféine* est un vasoconstricteur connu pour son action antimigraineuse chez certains. Elle entre parfois dans la composition de médicaments contre les migraines. Prenez conseil de votre médecin avant d'essayer d'utiliser la caféine pour vos maux de tête car elle n'est pas systématiquement indiquée dans votre cas. Un excès de caféine peut même *entraîner* des maux de tête.

Consultez le chapitre 8 pour les autres traitements non médicamenteux.

Traitements médicamenteux

Il existe de nombreux médicaments pour traiter les migraines ou en prévenir l'apparition. Celui que vous utilisez dépend de votre cas personnel et de l'avis de votre médecin. Pour votre information personnelle, voici la liste d'un certain nombre d'antimigraineux.

Le *tartrate d'ergotamine* est un alcaloïde de l'ergot de seigle et on le donne aux migraineux afin d'interrompre une crise en cours. Pris au stade précurseur de la crise, ce médicament fait contracter les vaisseaux sanguins et s'oppose à la dilatation responsable des douleurs. Il possède cependant des effets secondaires et doit être pris avec certaines précautions. De fortes doses peuvent entraîner des nausées, des vomissements, des diarrhées et un ralentissement de la circulation sanguine dans les extrémités. Il ne doit pas être absorbé quotidiennement. L'organisme peut s'y habituer et une augmentation progressive des quantités risque d'être nécessaire. Ce médicament peut finir par déclencher des maux de tête à cause de l'effet ricochet entraîné par sa surutilisation. Il est déconseillé aux cardiaques et à ceux qui souffrent d'un certain nombre d'autres maladies. Il est aussi contre-indiqué en cas de grossesse. Veillez à fournir un dossier médical complet et l'historique détaillé de vos affections à votre médecin pour qu'il puisse le prescrire sans danger.

Le *Bellergal* combine l'ergotamine, un barbiturique et un antinauséeux. Il contient très peu d'ergotamine et peut donc être utilisé quotidiennement sans risque sérieux. Toutefois, le Bellergal ne doit pas être utilisé par ceux à qui on déconseille l'ergotamine. Tout patient atteint de glaucome doit aussi l'éviter car l'antinauséeux qu'il contient risque de créer des problèmes.

La *méthysergide* (Sansert), comme l'ergot de seigle, fait contracter les vaisseaux sanguins. D'utilisation risquée sur de longues périodes, elle a divers effets secondaires comme des douleurs dans la poitrine, un ralentissement de la circulation sanguine dans les extrémités, des insomnies et des vertiges. Ce médicament est contre-indiqué pour la femme enceinte, les cardiaques et ceux qui souffrent de troubles de la circulation, d'hypertension artérielle ou de maladies du foie, des poumons et des reins.

La *cyproheptadine* (Periactin) est un antihistaminique qui s'est avéré efficace chez de nombreux migraineux, dont des enfants. Il agit sur le taux de sérotonine, le composé chimique du cerveau que l'on croit être à la base des migraines. La cyproheptadine peut causer de la somnolence ou des vertiges et elle est contre-indiquée pour ceux qui souffrent de glaucome, d'asthme et d'épilepsie.

Le *propranolol* (Inderal), un médicament agissant sur la dilatation des vaisseaux sanguins, sert à prévenir l'apparition des migraines. À l'exception du Sansert, c'est le seul médicament qui soit spécifiquement destiné aux maux de tête. Comme bêta-bloquant (substance opposée aux effets hypertenseurs de l'adrénaline), le propanolol fait diminuer les effets du stress en abaissant la tension artérielle et en empêchant la dilatation des vaisseaux sanguins. Comme tous les autres médicaments, il possède des effets secondaires comme le déclenchement de crises d'asthme, de troubles gastro-intestinaux, de fatigue et de problèmes cardiaques. Il est contre-indiqué pour la femme enceinte, le diabétique, l'asthmatique et l'hypertendu. Son utilisation prolongée est toutefois sans risque.

On peut prendre quotidiennement des antidépresseurs comme l'*amitriptyline* pour éloigner les risques d'une crise de migraine. Contrairement aux apparences, ce médicament n'est pas utile qu'aux déprimés. À titre préventif, l'amitriptyline semble faire diminuer la fréquence des migraines, bien que son effet puisse dépendre de son action sur l'humeur ou d'autres facteurs favorisants. Bien que la plupart de ses utilisateurs ne signalent pas d'effets secondaires notables, il peut provoquer un dessèchement de la bouche, des vertiges, des fourmillements et un brouillage de la vision. Son utilisation doit s'effectuer sous contrôle médical avec analyses de sang périodiques et examens de contrôle. L'amitriptyline peut aussi s'avérer très efficace sur les céphalées de tension.

On peut essayer des analgésiques comme l'*aspirine* ou le *Tylenol,* mais ils ne sont que rarement efficaces car les douleurs des migraines proviennent de la dilatation des vaisseaux sanguins. Des médicaments agissant sur la circulation du sang semblent être plus efficaces. Les analgésiques permettent cependant d'augmenter le seuil de tolérance à la douleur et peuvent s'avérer utiles dans les migraines légères.

En cas de besoin, des antinauséeux peuvent aussi être utilisés.

QUOI FAIRE ET NE PAS FAIRE

Pour parvenir à maîtriser la douleur de vos migraines, suivez les conseils suivants.

- Prenez des notes et faites des tableaux pour essayer de découvrir leurs facteurs déclenchants.
- Ne vous résignez pas à supporter stoïquement leurs douleurs.
- Consultez un médecin pour obtenir un diagnostic exact de votre affection.
- Ne vous attendez pas à ce que votre famille et vos amis comprennent vos problèmes. Si vous avez besoin de les éduquer, faites-leur lire ce chapitre.
- Essayez les techniques de relaxation et de diminution du stress du chapitre 8.
- N'aggravez pas vos crises en buvant de l'alcool, en ne dormant pas suffisamment et en étant trop stressé. Essayez de conserver un rythme de vie régulier.
- Suivez les conseils de votre médecin et prenez les médicaments qu'il vous prescrit. Un traitement est toujours inefficace si vous ne le suivez pas.
- Ne sautez pas de repas. La migraine peut s'installer lorsque le taux de sucre du sang est trop bas. Mangez au moins trois repas par jour. Quatre à six petits repas peuvent même devenir une très bonne habitude.
- Évitez de consommer les aliments qui peuvent déclencher des migraines comme le fromage vieilli, les noix ou la levure.
- Ne prenez pas de médicaments contenant des œstrogènes comme la pilule contraceptive car ils peuvent aggraver vos migraines.
- Consultez un gynécologue ou un spécialiste des maux de tête si vous constatez que vos maux de tête sont en relation avec votre cycle menstruel.
- Ne laissez pas les douleurs de la migraine dominer votre vie. Assumez-les au plus tôt.

CHAPITRE 4

Les céphalées de tension

Les céphalées de tension constituent peut-être le type le plus courant de maux de tête. Encore appelées céphalées de contracture, elles frappent ceux qui souffrent d'un stress affectif. Bien qu'habituellement sans gravité, elles peuvent durer pendant des jours entiers et débuter souvent dès le réveil. Elles deviennent malheureusement des douleurs chroniques et quotidiennes chez certaines personnes. D'une manière générale, il s'agit de maux de tête *sans* symptômes de migraines ni de maladies sous-jacentes. Ils peuvent heureusement être traités avec moins de médicaments que ceux des autres types.

LES SYMPTÔMES DES CÉPHALÉES DE TENSION

Voici comment peuvent se manifester les céphalées de tension:

- Vous ressentez une forte pression sur le crâne, exactement comme si vous portiez un chapeau trop petit de plusieurs tailles.
- Votre tête est douloureuse des deux côtés, habituellement sur le front ou la nuque.
- Votre cou et vos épaules peuvent aussi être douloureux.
- Votre santé est, par ailleurs, tout à fait bonne.

- Votre nuque vous semble «nouée» pendant les douleurs. En palpant du bout des doigts, vous pouvez découvrir plusieurs points douloureux (nodules) dans les muscles de la tête ou du cou.
- Le réchauffement ou le massage de la nuque et de la tête vous soulage un peu.
- Vos maux de tête débutent sans aucun signe d'avertissement.
- Vous n'avez pas de troubles de la vision ni de la parole.
- Pendant la crise douloureuse, vous ne ressentez pas de nausées et vous ne vomissez pas.
- Vos maux de tête débutent souvent lors d'une période de stress affectif ou juste à la fin d'un conflit.
- Vous pouvez vous réveiller tôt le matin avec des maux de tête, mais ceux-ci vous réveillent rarement pendant la nuit. (Seulement un dixième de la population affectée par ce type de maux de tête est réveillée la nuit par des douleurs.)
- Ces maux de tête ont habituellement commencé à l'âge adulte (bien qu'un dixième de la population affectée affirme en avoir aussi souffert pendant l'enfance ou l'adolescence).
- L'intensité de vos maux de tête augmente et diminue souvent au cours de la journée.
- Vos maux de tête semblent s'aggraver de bon matin et dans la soirée. Leur aggravation semble se situer entre quatre heures et huit heures et entre seize heures et vingt heures.

Les similitudes qui existent entre les céphalées de tension, les migraines et les autres maux de tête risquent de les faire facilement confondre. De nombreuses maladies sont provoquées ou aggravées par des conflits affectifs et seul votre médecin est qualifié pour les diagnostiquer. Ces renseignements ne peuvent en aucun cas remplacer une consultation médicale.

QUI COURT LE PLUS DE RISQUES DE SOUFFRIR DE CÉPHALÉES DE TENSION?

Répondez aux questions suivantes et découvrez si vous possédez la personnalité type des victimes de ce type de céphalée.

1. Vous considérez-vous comme une personne nerveuse? OUI ❏ NON ❏
2. Vos amis et votre famille vous considèrent-ils comme une personne nerveuse? OUI ❏ NON ❏
3. Vous sentez-vous souvent coléreux ou frustré? OUI ❏ NON ❏
4. Essayez-vous de dissimuler vos sentiments de colère et de frustration? OUI ❏ NON ❏
5. Êtes-vous toujours pressé et essayez-vous d'en faire le plus possible dans la même journée? OUI ❏ NON ❏
6. Êtes-vous souvent déprimé ou pleurez-vous souvent? OUI ❏ NON ❏
7. Est-ce qu'un stress affectif déclenche chez vous des maux de tête? OUI ❏ NON ❏
8. Souffrez-vous d'anxiété chronique? OUI ❏ NON ❏
9. Êtes-vous souvent renfrogné même lorsque vous devriez être détendu? OUI ❏ NON ❏
10. Faites-vous des gestes de nervosité comme grincer des dents, serrer les poings ou les mâchoires? OUI ❏ NON ❏
11. Avez-vous tendance à trouver des défauts à tous les gens et à toutes les choses qui vous entourent? OUI ❏ NON ❏
12. Vous est-il difficile de vous détendre? OUI ❏ NON ❏
13. Avez-vous des problèmes de relation avec autrui, y compris avec vos proches parents? OUI ❏ NON ❏
14. Avez-vous du mal à vous exprimer avec franchise et sincérité? OUI ❏ NON ❏
15. Avez-vous du mal à vous endormir le soir? OUI ❏ NON ❏
16. Vous réveillez-vous de très bonne heure en anticipant les conflits de la journée? OUI ❏ NON ❏

Si vous avez répondu «oui» à la majorité des questions, vous risquez d'être plus facilement sujet aux céphalées de tension que d'autres.

Pendant des années, des études ont montré que les situations angoissantes étaient à la base de la plupart de ce type de céphalées. Dans l'une de celles qui portait sur une centaine de patients, des tensions affectives étaient évidentes chez 75 % d'entre eux et de la dépression chez 35 %. D'autres chercheurs ont soulevé certaines questions à propos de ces conclusions. Ils ont alors découvert que les patients concernés souffraient de maux de tête chroniques et constituaient de mauvais sujets d'étude: le fait qu'ils vivaient avec des douleurs chroniques n'était-il pas le vrai responsable des tensions et de la dépression que les chercheurs avaient observées? Toutefois, quel que soit le point de vue auquel on adhère, le stress et l'angoisse sont fortement liés aux céphalées de tension.

QUE CACHENT LES CÉPHALÉES DE TENSION?

Les céphalées de tension peuvent commencer sans avertissement à n'importe quel moment de la journée. La douleur siège souvent au front ou à l'arrière de la tête et à la nuque. Elles se manifestent plus volontiers chez une personne en proie à un stress affectif, mais le mot *tension* de leur nom fait référence à une tension musculaire et non pas nerveuse.

Les céphalées de tension étaient jusqu'à récemment attribuées à la contraction des muscles du cuir chevelu, du visage et du cou sous l'action de la douleur. Aujourd'hui, certains chercheurs pensent que cette contraction est plus un effet secondaire qu'une cause. Il semblerait que le stress occasionne certaines modifications dans la biochimie du cerveau comme la diminution du taux de sérotonine et d'endorphines. Les endorphines diminuant la sensibilité à la douleur, les personnes dont le taux en est abaissé voient leur seuil de sensibilité à la douleur abaissé aussi et courent plus de risques de souffrir d'un mal de tête.

Là encore, la douleur semble liée à la contraction musculaire. Pourquoi les muscles se contractent-ils ainsi? Il existe une relation entre les tensions et la contraction douloureuse des muscles, mais elle n'a pas d'explication scientifique. Certaines théories avancent que la contraction musculaire est la réponse de l'organisme à la perception d'un danger. Tout comme les battements du cœur s'accélèrent avec la frayeur, certains spécialistes pensent que les muscles du cou et de la tête se contractent automatiquement avec le stress. Lorsque les muscles se contractent, ils peuvent se «nouer» et devenir douloureux au toucher. Les vaisseaux sanguins se contractent aussi et l'afflux de sang à la tête diminue. Une contraction musculaire excessive entraîne des douleurs qui persistent long-temps après le relâchement. La contraction musculaire et la réduction du flux sanguin jouent toutes deux un rôle dans les céphalées de tension. D'autres affections peuvent venir compli-quer le problème comme la coexistence d'une céphalée de tension et d'une céphalée vasculaire comme la migraine. Les vaisseaux sanguins peuvent se dilater rythmiquement et provo-quer une sensation de battement.

Les facteurs affectifs jouent un grand rôle dans l'apparition des céphalées de tension, mais ils ne sont pas nécessairement les *seuls* responsables. Les muscles ne se contractent pas seulement en période de stress affectif. Les mêmes douleurs peuvent, par exemple, provenir d'une mauvaise posture ou de positions anor-males du cou. Conduire une voiture, regarder la télévision, taper à la machine ou lire peuvent aussi provoquer des céphalées de tension parce que, dans ces activités, le cou est souvent tenu en position rigide, avec le menton près de la poitrine. Parler au télé-phone en tenant le combiné calé entre l'oreille et l'épaule peut aussi provoquer une contraction musculaire excessive et entraî-ner une céphalée de tension.

Certaines expressions et mouvements du visage peuvent aussi provoquer des maux de tête. Un clignement prolongé des yeux, la mastication de chewing-gum, la contraction des mâchoires et le grincement des dents sont toutes des activités musculaires pouvant conduire à ce genre de céphalées.

Il ne semble toutefois pas exister de relation entre les céphalées de tension et l'alimentation, ni les variations hormonales comme c'est le cas dans les migraines. Les deux sexes en sont affectés, bien que les femmes semblent prédominer légèrement.

Chez certains, des maladies ou d'autres affections du cou peuvent être la cause de céphalées de tension et doivent être suivies par un médecin. L'arthrite du cou, par exemple, enflamme les articulations et peut en être accompagnée. Les blessures du cou, les tumeurs de la colonne vertébrale et les malformations des vertèbres peuvent aussi en déclencher.

Parfois, les douleurs de la migraine entraînent la contraction des muscles du cou et de la tête et le désagrément d'une céphalée de tension vient s'y ajouter. Certains spécialistes pensent que cette contraction musculaire est engendrée par le désir d'immobilité de la tête lors d'une crise de migraine — une réaction de protection qui provoque malheureusement plus de douleurs qu'elle n'en évite.

La céphalée de tension est très rare chez l'enfant. Si un enfant se plaint de maux de tête persistants, il faut penser à en faire rechercher les causes profondes.

TYPES DE CÉPHALÉES DE TENSION

Les maux de tête entraînés par des contractions musculaires peuvent être de deux types. Le type *aigu* ou *épisodique* frappe pratiquement tout le monde un jour ou l'autre et très peu de gens y échappent. Qu'elle soit entraînée par un stress passager, de la fatigue ou une contraction musculaire prolongée, la céphalée de tension aiguë est assez courante. Elle peut se manifester près d'une fois par mois et être soulagée par des analgésiques sans prescription. Il est très rare que ceux qui en souffrent de temps à autre consultent un médecin ou une clinique spécialisée. La céphalée de tension aiguë provoque une douleur qualifiée de légère à modérée. Elle est sourde et constante comme si quelque chose de trop étroit serrait la tête.

Ceux qui en souffrent peuvent la ressentir isolément ou à la fois à l'avant de la tête, à l'arrière, sur les côtés, sur le dessus ou dans la nuque.

La céphalée de tension *chronique* est beaucoup plus gênante. Ses crises peuvent être quotidiennes et les médicaments sans prescription restent souvent sans effet. À la différence des céphalées aiguës, ceux qui souffrent de céphalées de tension chroniques recherchent souvent l'aide de la médecine.

Les maux de tête peuvent se prolonger pendant des jours, des semaines, voire des mois sans beaucoup de soulagement et ils peuvent être un signe de dépression ou d'angoisse. Environ 30 % des victimes ont au moins un mal de tête par jour et 20 % souffrent constamment. La localisation et la gravité de la douleur sont assez semblables à celles des céphalées aiguës — une sensation de compression sur le front, le dessus ou l'arrière de la tête, et parfois sur les côtés et la nuque. Des picotements se font parfois sentir.

À la suite de la contraction musculaire d'une céphalée chronique, les vaisseaux sanguins peuvent se dilater par effet ricochet et provoquer une douleur battante. Dans la plupart des cas, ces maux de tête ne dépendent pas d'affections sous-jacentes mais, pour des douleurs chroniques, le médecin pourra rechercher d'éventuelles anomalies physiques comme une affection de l'articulation temporo-maxillaire, des troubles de l'œil, une inflammation des sinus, des blessures (chute sur la tête ou collision par l'arrière en voiture), une tumeur ou une maladie du cou.

Il arrive parfois qu'une blessure vienne endommager le nerf occipital qui passe des deux côtés du cou derrière l'oreille. Lorsqu'il est atteint, la base du crâne peut devenir douloureuse au toucher et les mouvements du cou peuvent être gênés. Une intervention chirurgicale permet de soulager la pression exercée sur le nerf.

TRAITEMENT

La plupart de ceux qui souffrent de céphalées de tension ne prennent pas de mesures particulières pour les éviter ou les soulager. Souvent, ceux qui souffrent de céphalées aiguës poursuivent leurs activités journalières et attendent qu'elles disparaissent d'elles-mêmes. Ceux qui souffrent de céphalées chroniques sont plus agissants. Lorsque la douleur est quotidienne, il est difficile de l'oublier et de ne pas en être gêné. Les maux de tête continuels deviennent rapidement intolérables et il n'y a aucune raison de les supporter sans réagir, tout le monde ayant droit au soulagement.

Rien ne permet d'affirmer que l'esprit ou l'affectivité soit leur unique cause et il est nécessaire de consulter un médecin pour écarter toute anomalie physiologique ou toute maladie pouvant en être responsable. Si un problème de santé sous-jacent comme une affection de l'articulation temporo-maxillaire en est à l'origine, il doit être traité en premier.

Si aucune anomalie physique n'est responsable des maux de tête, ceux-ci peuvent souvent être traités sans usage de médicaments. Si certains facteurs psychologiques ou affectifs comme la tension résultant de la précipitation déclenchent vos maux de tête, vous devriez pouvoir les éviter en essayant de modifier votre comportement. Le bio-feedback et les méthodes de réduction du stress du chapitre 8 peuvent faire diminuer significativement la fréquence des crises. Avec le bio-feedback, le patient utilise son processus de pensée et des techniques de relaxation pour contrer les troubles physiologiques.

Les exercices de relaxation et de réduction du stress peuvent faire diminuer notablement la fréquence des céphalées de tension chez la plupart des gens. La physiothérapie et les massages sont aussi de bons moyens de prévention. Le patient prend une part active dans ces traitements avec des douches chaudes et un auto-massage de ses muscles. Il faut toutefois envisager d'autres traitements si ces méthodes sont inefficaces. Le plus couramment, des analgésiques comme l'aspirine ou le Tylenol peuvent servir à en combattre les effets.

Pour traiter les céphalées de tension chroniques, plus rares, le médecin peut prescrire des antidépresseurs et des tranquillisants. Le *Fiorinal* est un médicament composé d'aspirine, d'un sédatif et de caféine. Certains médicaments comme le *Parafon Forte* combinent l'effet analgésique de l'acétaminophène avec un relaxant musculaire. Le *Darvon* est un puissant analgésique mais il risque de provoquer une accoutumance et des problèmes de sevrage en cas de surutilisation. La *codéine* est un stupéfiant d'emploi assez sûr mais qui risque de provoquer une accoutumance. Les *antidépresseurs tricycliques* ont connu beaucoup de succès dans le traitement des céphalées de tension chroniques. Leur efficacité dépend peut-être de leur action sur la contraction des muscles plutôt que sur l'humeur. Toutefois, il peut s'écouler plusieurs semaines avant qu'un changement significatif dans la fréquence des maux de tête se manifeste. Les *bêta-bloquants* sont parfois prescrits et peuvent être combinés avec un antidépresseur. Les tranquillisants et les relaxants musculaires ont aussi prouvé leur efficacité, mais leur usage à long terme est à éviter.

Malheureusement, les patients abusent parfois des analgésiques et des tranquillisants. N'oubliez jamais que vous pouvez vous créer des problèmes supplémentaires en agissant ainsi. Une utilisation prolongée de ces médicaments peut aussi endommager le foie, l'estomac et les reins.

QUOI FAIRE ET NE PAS FAIRE

Voici quelques instructions qui peuvent vous aider à éviter les céphalées de tension ou à les soulager.

- Conservez un bonne posture.
- Ne regardez pas la télévision couché sur votre lit. Asseyez-vous pour cela.

- Relevez de temps à autre la tête pendant que vous lisez ou que vous écrivez pour que votre menton ne reste pas continuellement appuyé sur votre poitrine.
- Ne calez pas le téléphone entre votre épaule et votre oreille.
- Ne dormez pas sur un oreiller qui soutient votre cou.
- Veillez à bien manger, à bien dormir et à faire régulièrement de l'exercice.
- Effectuez régulièrement des exercices de réduction du stress (voir pages 82 à 88).
- N'abusez pas des analgésiques ni des tranquillisants pour les céphalées de tension chroniques.
- Consultez un médecin pour déterminer si ce sont des facteurs physiques ou psychologiques qui déclenchent vos crises.
- Ne réprimez pas vos sentiments de colère et de frustration. Exprimez-les avec calme avant d'atteindre le point d'explosion. Voir chapitre 9.
- Ne rejetez pas l'idée d'un entretien avec un psychologue si votre médecin pense que cela peut vous aider à déterminer les facteurs affectifs de vos maux de tête.
- Ne laissez personne vous affirmer que la douleur est une simple affaire d'imagination.
- Avant de penser à la psychothérapie, explorez toutes les voies conduisant à une éventuelle affection physique passée inaperçue.

CHAPITRE 5

Les céphalées
unilatérales périodiques

Les céphalées unilatérales périodiques sont relativement rares et elles affectent beaucoup moins de gens que les migraines. On estime à 1 million le nombre d'Américains qui en souffrent contre 16 à 18 millions pour les migraines.

La médecine les connaît depuis près d'un siècle et elle leur a attribué divers noms comme le *syndrome de Raeder* ou la *céphalalgie anaphylactique*. Nous savons aujourd'hui qu'elles constituent un syndrome distinct.

Il s'agit de maux de tête vasculaires extrêmement douloureux qui se produisent par série de crises d'une durée de quinze minutes à une heure chacune. Plusieurs crises peuvent avoir lieu au cours de la même journée ou chaque jour pendant plusieurs jours ou plusieurs semaines. La période de crise est habituellement suivie par une longue période de rémission. Les crises peuvent ne pas se reproduire pendant un intervalle de trois ans.

La terrible douleur qui les caractérise est pratiquement intolérable et a été décrite comme une sensation de taraudage à l'arrière d'un œil. Ses victimes tournent souvent «comme des animaux en cage» et elles souffrent assez pour se taper la tête contre les murs ou envisager le suicide. La douleur est limitée à un seul côté de la tête dans la région de l'œil. La plupart des victimes (environ 85 %) sont des hommes âgés de vingt à cinquante ans.

LES SECRETS
DES CÉPHALÉES UNILATÉRALES

Consultez la liste suivante des manifestations des céphalées unilatérales périodiques:

- Vos maux de tête ont commencé après l'adolescence, entre vingt et cinquante ans, et plus couramment autour de la trentaine.
- Vos maux de tête débutent sans signes avant-coureurs ni phase préalable.
- Les crises extrêmement douloureuses mais de courte durée sont concentrées sur une période de quelques jours, quelques semaines ou quelques mois. Vous en avez probablement de un à trois par jour, bien que leur nombre puisse atteindre dix au cours des mêmes vingt-quatre heures.
- Pendant les périodes de crise, les maux de tête se produisent à la même heure tous les jours.
- La période de crise terminée, il peut s'écouler trois ans avant qu'une autre crise se déclare.
- Vous êtes très certainement de sexe masculin car il y a près de six fois plus d'hommes que de femmes affectés. Les maux de tête des femmes n'ont absolument rien à voir avec leur cycle menstruel.
- Vous êtes certainement le seul membre de votre famille à souffrir de ce type de maux de tête.
- La douleur est pratiquement intolérable.
- La douleur est localisée à un seul côté de la tête.
- La douleur est très vive autour de l'œil mais elle peut aussi atteindre le front, la tempe ou la joue.
- Dans la plupart des crises, la douleur affecte le même côté du visage. (Elle touche les deux côtés chez seulement 15 % des victimes.)
- Les maux de tête vous réveillent souvent pendant la nuit. (Il semblerait que 75 % des crises aient lieu entre vingt et une heures et dix heures.)

- Lors d'une période de crise de plusieurs jours, les douleurs apparaissent à la même heure chaque nuit.
- Vos yeux sont larmoyants.
- Votre nez est bouché, mais il peut aussi couler en même temps.
- Votre visage est rouge et votre front peut être couvert de sueur.
- La paupière du côté affecté est tombante et peut sembler enflée.
- Votre œil est souvent injecté de sang.
- La pupille est temporairement rétrécie et la vision peut être brouillée.
- Les battements du cœur sont accélérés.
- Il existe parfois un rythme saisonnier dans l'apparition de vos maux de tête qui sont souvent concentrés au printemps ou à l'automne.
- La consommation d'alcool pendant les périodes de crise peut déclencher la douleur.

Pour mieux illustrer les particularités des céphalées unilatérales périodiques, le tableau ci-dessous les compare aux migraines. Il devrait vous aider à bien percevoir les différences entre ces deux types de maux de tête vasculaires. Les céphalées unilatérales périodiques sont cliniquement différentes des migraines et ne doivent pas être confondues avec un autre type de maux de tête.

Caractéristiques	Céphalées unilatérales périodiques	Migraines
Localisation à la tête	Toujours unilatérales (d'un seul côté)	Unilatérales ou bilatérales
Âge d'apparition	20 à 50 ans	10 à 40 ans
Prédominance selon le sexe	90 % chez l'homme	65 à 70 % chez la femme

Caractéristiques	Céphalées unilatérales périodiques	Migraines
Fréquence des crises	Quotidiennes, pendant plusieurs semaines ou plusieurs mois	Intermittentes, 2 à 8 fois par mois
Durée des douleurs	10 minutes à 3 heures	4 à 48 heures
Signes précurseurs	Aucun	25 à 30 % des cas
Nausées et vomissements	2 à 5 % des cas	85 % des cas
Vue brouillée	Inhabituelle	Fréquente
Larmoiement	Fréquent	Inhabituel
Congestion du nez	Fréquente	Inhabituelle
Antécédents familiaux de céphalées vasculaires	7 % des cas	90 % des cas

Adapté d'un tableau réalisé par le docteur Seymour Diamond, directeur de la Diamond Headache Clinic de Chicago.

LA PERSONNALITÉ TYPE DES VICTIMES DE CÉPHALÉES UNILATÉRALES PÉRIODIQUES

En faisant des recherches sur les céphalées unilatérales périodiques, les médecins ont trouvé des points communs entre leurs victimes — une découverte étrange qu'il leur est impossible d'expliquer. En 1972, une étude effectuée par un certain Graham confirmait que la plupart des victimes de ce type de maux de tête étaient des hommes grands et forts. Ils étaient plus grands que la moyenne et avaient souvent un air rude décrit comme un aspect «léonin». Ils avaient les mâchoires carrées et une fossette au menton. Leur peau était rugueuse et avait l'aspect de la peau d'orange. Leur front était souvent creusé de rides profondes. La plupart avaient des yeux de couleur pâle, bleus ou verts.

Le plus étonnant était peut-être que 94 % d'entre eux étaient de gros fumeurs — plus de 30 cigarettes par jour. La plupart en fumaient même de deux à trois paquets par jour. Ils avaient souvent pris l'habitude du tabac à l'adolescence et étaient aussi de gros buveurs.

Jusqu'à aujourd'hui, ces points communs ne constituent que des observations. Personne ne sait pourquoi ceux qui partagent ces caractéristiques physiques et ces comportements sont plus enclins que d'autres aux céphalées unilatérales périodiques. Le rapport existant entre ces similitudes et les maux de tête reste obscur, mais les médecins s'en servent parfois pour leur diagnostic. On n'a pas non plus compris pourquoi l'absorption d'alcool déclenchait des douleurs au cours des périodes de crise et n'avait aucun effet le reste du temps.

QUE CACHENT LES CÉPHALÉES UNILATÉRALES PÉRIODIQUES?

Les céphalées unilatérales périodiques entrent dans le cadre des affections cycliques. Tous les indices tendent à prouver que ce syndrome douloureux est en relation avec l'horloge biologique de l'organisme. Cette théorie a pu voir le jour à cause de la nature cyclique des maux de tête et de la ponctualité de leur déclenchement.

L'horloge biologique règle l'activité enzymatique, la température, la sécrétion hormonale et d'autres processus physiologiques. Chez les victimes de ce type de maux de tête, l'organisme semble éprouver quelques difficultés à maîtriser ces rythmes naturels. L'hypothalamus, centre régulateur du sommeil et de la veille, pourrait constituer la clé de cette énigme, car il peut envoyer un message au système nerveux central pour provoquer une dilatation des vaisseaux sanguins. Mais cette dilatation est censée être une conséquence et non pas une cause du problème. Le taux de sérotonine peut en être une autre; en association avec l'histamine, cette substance chimique du cerveau régularise l'horloge biologique et se trouve en relation anatomique avec les yeux.

Le taux d'histamine peut aussi être en cause. Cette substance qui agit sur la dilatation des vaisseaux sanguins est essentiellement présente dans l'hypothalamus. Des chercheurs ont découvert que l'injection d'une petite quantité d'histamine à un patient souffrant de ce type de céphalées déclenchait les douleurs. Ce fait semble établir la preuve d'une relation entre l'histamine et les maux de tête.

Leurs nombreuses victimes affirment que la douleur les réveille la nuit. Dans la moitié des cas, les chercheurs ont estimé que ce réveil avait lieu en période de sommeil paradoxal. Personne ne sait toutefois pourquoi il en est ainsi.

L'alcool étant un vasodilatateur capable de déclencher des douleurs pendant un de ces cycles de céphalées, leurs victimes doivent comprendre l'importance de l'abstinence pendant ces périodes.

TYPES DE CÉPHALÉES
UNILATÉRALES PÉRIODIQUES

Bien que la plupart des victimes de ces maux de tête ne souffrent que de crises occasionnelles entrecoupées de longues périodes de rémission, certaines voient leur affection devenir chronique. Les céphalées deviennent continuelles et il n'existe plus de périodes de rémission. C'est la gravité et la permanence de ces douleurs qui font parfois envisager le suicide. Fort heureusement, seulement 10 % des victimes de cette affection la voient devenir chronique. Ce problème est toutefois très difficile à traiter et une intervention chirurgicale est parfois nécessaire.

TRAITEMENT

Les céphalées unilatérales périodiques sont très difficiles à soigner car elles s'installent très rapidement et sans signe avant-coureur. De plus, le fait que la douleur se déclenche pendant le sommeil rend très difficile l'utilisation de mesures abortives.

Heureusement, de nombreuses victimes peuvent être soulagées sans médicament. L'inhalation d'oxygène par l'intermédiaire d'un masque constitue le traitement de choix et il est efficace dans 70 à 80 % des cas. Il nécessite la respiration de cinq à huit litres d'oxygène pur par minute pendant dix à quinze minutes. L'oxygène a un effet vasoconstricteur au niveau des neurotransmetteurs et il peut court-circuiter la douleur résultant de la dilatation des vaisseaux sanguins. Il stimule aussi la production de sérotonine dans le système nerveux central, ce qui peut aussi entrer en compte. La mise en œuvre de ce traitement exige cependant la présence d'une bouteille d'oxygène près de l'endroit de la crise — ce qui n'est pas toujours pratique ni possible.

L'exercice physique vigoureux tout au début d'une crise parvient à la faire avorter. La compression de l'artère temporale semble aussi en soulager temporairement les douleurs dans 40 % des cas, mais les aggrave dans la même proportion. Pendant une crise, l'abstinence d'alcool (connu pour son effet vasodilatateur) peut aussi faire diminuer la fréquence des douleurs. Il faut aussi éviter de manger des aliments possédant les mêmes propriétés.

Si ces méthodes non médicamenteuses s'avèrent inefficaces, vous pouvez néanmoins recourir aux médicaments pour prévenir ou traiter ce type de céphalées. Certains des médicaments utilisés sont l'*ergotamine,* le *chlorhydrate de cocaïne* et la *lidocaïne.* La lidocaïne est administrée en gouttes nasales durant une crise et se montre efficace chez quatre patients sur cinq. Il est toutefois préférable d'utiliser des médicaments préventifs plutôt que de faire avorter une crise en cours. Les médicaments qui agissent sur l'activité vasculaire sont les plus efficaces. Parmi ceux dont l'effet est préventif, on compte la *méthysergide* (Sansert), la *cyproheptadine*, les *corticostéroïdes*, la *prednisone* et la *triamcinolone*. La méthysergide est efficace chez 70 % des victimes, mais elle manque d'efficacité dans les cas chroniques. Les stéroïdes sont efficaces mais ils ne peuvent être prescrits que pour de courtes périodes; ils permettent néanmoins de briser le cercle vicieux des douleurs par leur effet sur les neurotransmetteurs. Le *carbonate de lithium* est aussi un traitement efficace des céphalées chroniques.

La désensibilisation à l'histamine a aussi été essayée comme traitement. Dans son protocole d'application, de petites doses d'histamine sont injectées par voie intraveineuse pour renforcer la résistance à ses effets. Mais l'efficacité de ce traitement n'a jamais été prouvée et il a été pratiquement abandonné. Les chercheurs se sont aussi demandé si l'efficacité occasionnelle observée n'était pas simplement un effet placebo. Aujourd'hui, ce traitement n'est utilisé que dans des conditions particulières et il est réservé aux cas chroniques.

Dans les cas graves et chroniques, un nouveau traitement chirurgical appelé *radio-rhizotomie du trijumeau* est disponible. L'intervention concerne les racines des terminaisons nerveuses de la région affectée. Une aiguille est placée sur le nerf trijumeau et des ondes radio très courtes lui sont envoyées. Elles détruisent les fibres vectrices de la douleur qui n'est plus acheminée par le nerf. Il s'agit d'une intervention de microchirurgie qui doit être pratiquée par un neurochirurgien. Près de 70 % des patients qui l'ont subie l'ont trouvée extrêmement efficace. Elle est cependant rarement conseillée et réservée aux cas chroniques car elle provoque une insensibilité des muscles du visage.

CHAPITRE 6

Autres types de maux de tête

Vous pourriez aussi souffrir de plusieurs autres types de maux de tête.

CÉPHALÉES ALIMENTAIRES

Chez certaines personnes, des aliments courants comme les fromages à pâte ferme, les agrumes, l'alcool, les mets chinois ou le chocolat déclenchent des maux de tête. Les responsables en sont des substances chimiques, les amines (tyramine, phényléthylamine, etc.). Parmi les additifs alimentaires qui sont aussi capables de provoquer des maux de tête, on compte le chlorure de sodium, le glutamate monosodique (MSG), les nitrites de sodium et l'aspartame. À l'avenir, nous découvrirons certainement d'autres produits chimiques alimentaires responsables de maux de tête.

Céphalées dues aux hot-dogs

Certaines personnes éprouvent des maux de tête après avoir mangé des hot-dogs ou d'autres préparations à base de viande. Ces aliments contiennent des nitrites qui sont des agents de conservation pouvant provoquer la dilatation des vaisseaux sanguins. Hormis les hot-dogs, on en trouve dans les viandes en conserve, le salami, la saucisse de Bologne, les saucisses, le bacon, le pepperoni et le poisson fumé. Lisez bien les étiquettes des produits pour vérifier leur présence.

Céphalées de la restauration chinoise

Le glutamate monosodique (MSG) est un agent d'aromatisation couramment utilisé dans la cuisine chinoise. On le trouve aussi dans de nombreux aliments en conserve, les attendrisseurs pour la viande et le sel aromatisé. Malheureusement, de 10 à 30 % de ceux qui en consomment sont ensuite victimes de maux de tête. Leur réaction se présente habituellement comme une série de manifestations commençant par une sensation de brûlure dans la poitrine, le cou et les épaules. Par la suite, la sensation se déplace de la poitrine vers la tête et le visage.

Les raisons pour lesquelles le glutamate monosodique entraîne ces réactions ne sont pas très évidentes car il semble sans effet sur la paroi des artères. Pour éviter tout mal de tête en allant dans un restaurant chinois, demandez à ce que vos plats soient préparés sans ce produit — ce que la plupart des restaurateurs devraient accepter. Des recherches ont permis de découvrir que l'ingestion de nourriture avant un repas chinois ralentissait l'absorption du glutamate par le tube digestif et que les maux de tête ne se manifestaient pas. D'autres recherches ont montré que l'absorption d'alcool en même temps que le glutamate augmentait au contraire la probabilité des maux de tête. La sauce soja risquant parfois de produire le même effet, n'oubliez pas ces détails avant d'aller manger dans un restaurant chinois.

Céphalées par excès de vitamine A

Un excès de vitamine A peut provoquer de violents maux de tête souvent accompagnés de douleurs abdominales, de nausées et de vertiges. Les maux de tête disparaissent dès que l'on cesse de prendre la vitamine. Soyez prudent car la plupart des excès de vitamines sont dangereux. Faites savoir à votre médecin en quelle quantité vous les prenez chaque jour.

Céphalées dues à la crème glacée

Comme tout le monde l'a certainement remarqué, l'absorption de crème glacée ou d'une boisson très froide peut provoquer des maux de tête. Ils se produisent d'autant plus facilement que le temps est chaud et que l'on est trop couvert. La douleur — qui semble venir de l'intérieur de la tête — peut se faire sentir dans les vingt-cinq à soixante secondes qui suivent l'ingestion de l'aliment froid.

Dans la bouche, la crème glacée entre en contact avec le palais chaud et provoque une réaction vasculaire qui à son tour engendre la douleur. Par chance, ce mal de tête ne dure pas plus d'une ou deux minutes. Près de 30 % de la population éprouve ce type de maux de tête un jour ou l'autre, mais la proportion passe à 90 % chez les migraineux. Certaines personnes trouvent ce mal de tête suffisamment ennuyeux pour éliminer aussitôt les aliments et les boissons glacés de leur régime. D'autres prennent simplement la précaution de ramollir la crème glacée en la remuant pendant quelques instants avant de la manger.

Céphalées dues à l'alcool

Les maux de tête qui accompagnent la «gueule de bois» sont causés par l'alcool. (Ce n'est pas le même processus que les migraines ou les céphalées unilatérales périodiques qui ne sont que *déclenchées* par l'alcool.) Seules certaines personnes éprouvent cet effet. L'alcool peut provoquer des maux de tête dans les trente minutes qui suivent sa consommation ou, plus souvent, entraîner une «gueule de bois» plusieurs heures après — le lendemain matin, habituellement. Ce phénomène ne dépend pas de la quantité d'alcool consommée. L'alcool provoque des maux de tête parce qu'il entraîne une dilatation des vaisseaux sanguins. Les maux de tête qui en résultent sont habituellement accompagnés de nausées, d'étourdissements, de fatigue, de pâleur, de déshydratation et d'une sensation générale de malaise. Ils touchent habituellement les deux côtés de la tête avec des battements douloureux et empirent souvent avec ses mouvements. En principe, leur victime se sent mieux dans les cinq à dix heures suivantes.

Apparemment, certaines boissons alcoolisées les provoquent plus facilement que d'autres. La bière, le vin rouge et le xérès, par exemple, sont plus néfastes que la vodka car ils contiennent une plus grande quantité d'amines. Si vous avez l'intention de boire de l'alcool, vous pouvez diminuer les chances d'apparition de ces maux de tête en mangeant auparavant. Les fruits et le miel semblent être les aliments les plus efficaces car leur contenu en fructose permet à l'organisme de brûler plus rapidement l'alcool.

Pour les traiter, essayez une boisson contenant de la caféine (café, par exemple) qui fera se contracter les vaisseaux sanguins dilatés et diminuera les douleurs. L'application de glace sur la tête est aussi efficace. Contrairement à la croyance populaire, boire un verre supplémentaire n'arrange rien mais empire au contraire les choses. On pourrait s'étonner qu'aussi peu de recherches aient été faites sur un problème aussi courant. Peut-être considérons-nous qu'un bon mal de tête est le prix normal à payer pour une nuit de beuverie?

AUTRES MAUX DE TÊTE

Voici, enfin, quelques autres types de maux de tête dus à des causes qui ne sont pas alimentaires.

Céphalées accompagnant la toux

Certaines personnes ressentent des maux de tête en toussant, en éternuant, en se soulevant, en se penchant ou en se courbant. Il fut un temps où les médecins pensaient que ces douleurs étaient toujours le signe d'une grave maladie cachée. Aujourd'hui cependant, la majorité des cas semblables sont considérés comme bénins. La technique d'examen de la tête par la résonance magnétique nucléaire est habituellement employée pour exclure une grave affection comme une tumeur au cerveau. On a découvert une cause sous-jacente chez environ 10 % des patients qui souffrent de ce type de céphalées. Elles atteignent très rapidement leur paroxysme avant de disparaître en quelques minutes.

Céphalées d'épuisement

Un grand nombre de gens éprouvent des maux de tête à la suite d'une grande fatigue. Les céphalées d'épuisement ou migraines d'effort débutent soudainement après une activité physique prolongée comme la course à pied. Leur durée se mesure plus souvent en heures qu'en minutes et leur traitement se fait avec un antimigraineux. L'*indométhacine* (Indocid) semble être très efficace.

Céphalées dues à la fièvre

Les maux de tête causés par la fièvre sont considérés comme des céphalées vasculaires toxiques. La fièvre fait dilater les vaisseaux sanguins de la tête en produisant un battement douloureux. Les douleurs disparaissent en même temps que la fièvre baisse.

«Migraines de circonstance»

Certains maux de tête semblent associés à l'activité sexuelle. Ils débutent juste avant ou durant l'orgasme et se présentent comme un battement douloureux à l'arrière de la tête. Ce type de maux de tête est heureusement assez rare et n'est pas une conséquence des rapports sexuels. Il est possible que l'acte sexuel agisse comme facteur déclenchant de céphalées accompagnant la toux. Les hommes risquent plus d'en souffrir que les femmes. Ces maux de tête semblent en outre affecter les migraineux.

Ils peuvent durer de quelques minutes à quelques heures. On a avancé l'hypothèse qu'au moins certains d'entre eux pouvaient être causés par des contractions musculaires et des tensions de la tête et du cou pendant les rapports sexuels. Les douleurs les plus violentes qui se font sentir au moment de l'orgasme peuvent être dues à l'hypertension artérielle. Ce type de maux de tête est rarement la conséquence d'une affection grave, bien que, dans certains cas, un anévrisme puisse en être responsable. Cette éventualité ne doit pas être négligée par le médecin avant diagnostic et instauration d'un traitement.

Céphalées d'exposition au soleil

Chez certaines personnes, le fait de s'asseoir au soleil peut être la cause d'un battement douloureux dans la tête. Ce type de douleurs ne doit pas être confondu avec la migraine déclenchée par la lumière violente. À cause de cela et des dangers du soleil (cancer de la peau), on incite leurs victimes à la prudence et on leur conseille de ne pas s'y exposer. Le port d'un chapeau est une bonne protection qui fait diminuer leur risque d'apparition. Les lunettes de soleil de bonne qualité, qui protègent de l'éblouissement et filtrent les rayons solaires, procurent une protection supplémentaire.

Céphalées de la constipation

Les constipés souffrent souvent de maux de tête. La constipation est accompagnée de battements douloureux et de céphalées diffuses. On ne connaît pas la raison de leur installation, bien que les substances toxiques du bol intestinal libérées dans la circulation sanguine puissent être mises en cause, tout comme les troubles affectifs et la dépression. (Les déprimés risquent aussi plus que les autres de souffrir de constipation.)

La constipation est devenue un problème courant à cause de l'abondance des aliments raffinés et du manque de fibres alimentaires. La constipation et les maux de tête associés peuvent être évités grâce à une alimentation riche en fibres — grains entiers, légumineuses, fruits et légumes. Il faut aussi éviter tous les aliments raffinés et transformés comme le sucre blanc, le riz blanchi et le pain blanc.

Céphalées du syndrome prémenstruel

Chez de nombreuses femmes, les jours qui précèdent les règles sont marqués par des sensations désagréables comme des ballonnements, des maux de reins, des épisodes dépressifs, de l'irritabilité et des maux de tête. Les céphalées qui débutent environ une semaine avant les règles et se terminent avec elles peuvent être la conséquence du syndrome prémenstruel. Ce syndrome comporte une série de manifestations — plus de 150 ayant été identifiées — qui commencent autour du moment de l'ovulation et disparaissent avec les règles ou juste après. Seul un médecin peut en faire le diagnostic mais les femmes dont les douleurs sont cycliques peuvent déjà soupçonner en être victimes.

Le syndrome prémenstruel est déclenché par un déséquilibre hormonal. Au moment de l'ovulation, les taux d'œstrogènes et de progestérone sont en hausse. Les œstrogènes sont les hormones femelles qui déclenchent la ponte mensuelle d'un ovule alors que la progestérone est l'hormone qui provoque l'épaississement de la muqueuse utérine en vue de la nidation. En l'absence de grossesse, le taux de progestérone diminue et les règles débutent. Le syndrome prémenstruel apparaît lorsque cet équilibre est détruit et que le taux des œstrogènes est trop élevé par rapport à celui de la progestérone (voir page 36).

Les traitements essayés (avec des résultats variables) comportent la maîtrise du stress, le régime alimentaire, l'exercice physique et, parfois, les antidépresseurs. En cas de rétention d'eau, certaines femmes reçoivent des diurétiques et elles doivent éviter les aliments salés, et diminuer leur absorption de liquides. Pour certaines, un traitement à base de sels minéraux et de vitamines (calcium, magnésium, vitamine B_6) s'avère efficace. Les autres traitements non médicamenteux comportent la pratique du yoga, le repos et un régime alimentaire sans caféine. L'un des traitements les plus récents est l'acide gamma-linoléique ou huile d'onagre, absorbée sous forme de capsules. Les réactions sont très variables selon les individus.

Vous pouvez souhaiter consulter un gynécologue spécialiste du syndrome prémenstruel et un spécialiste des maux de tête. Des cliniques spécialisées comportant des psychiatres, des nutritionnistes, des gynécologues et des infirmières existent déjà et offrent un programme de soins complets pendant trois à six mois.

Céphalées de l'enfant

Les enfants souffrent aussi de maux de tête. Tout comme pour l'adulte, ceux-ci peuvent dépendre d'un grand nombre de facteurs comme la fatigue, la fièvre, les infections de l'oreille, la prise de certains aliments, la faim ou la surexcitation. L'enfant doit être examiné par un médecin qui déterminera la cause de ses maux de tête. Habituellement, le traitement se limite à des conseils de nutrition et la prise d'un analgésique comme l'acétaminophène.

CHAPITRE 7

Les céphalées d'origine physiologique

Pratiquement tous ceux qui souffrent de maux de tête à un moment ou à un autre de leur vie ont peur d'être atteints d'une tumeur au cerveau ou d'une autre affection grave. Fort heureusement, ce n'est que très rarement le cas car seulement 2 % de tous les maux de tête ayant entraîné une consultation médicale ont une telle cause.

TUMEUR AU CERVEAU

Vos maux de tête ont peu de risques d'être causés par une tumeur au cerveau. On n'en découvre que chez seulement 0,1 à 0,5 % de tous ceux qui consultent pour cette raison. Un patient atteint d'une tumeur au cerveau présente bien d'autres manifestations — étourdissements, nausées, vision brouillée, crises d'épilepsie, paralysies ou troubles de la personnalité. Une tumeur peut être accompagnée de nausées et de vomissements, mais les migraines provoquent aussi ces manifestations. Des maux de tête même légers mais qui s'aggravent avec la fatigue peuvent révéler une tumeur. Si vous souffrez de troubles neurologiques comme des engourdissements ou des crises d'épilepsie en même temps que vos maux de tête, il serait préférable de consulter votre médecin qui pourra dissiper vos doutes au sujet d'une tumeur éventuelle. Un examen médical le permet facilement mais certains examens comme la scanographie, la résonance magnétique nucléaire ou les radiographies du crâne peuvent néanmoins être nécessaires.

Le traitement dépend alors du type de la tumeur découverte.

ARTÉRITE TEMPORALE

Les céphalées de l'artérite temporale sont causées par l'inflammation des artères de la tête et du cou. Elles affectent principalement les personnes de cinquante ans et plus. Elles se présentent comme de violents battements douloureux, avec parfois des sensations de brûlure ou des picotements. Elles peuvent être accompagnées d'une enflure du visage et d'une hypersensibilité du cuir chevelu. Vous pouvez aussi ressentir des douleurs à la mastication, une raideur du cou et de la fatigue ou encore perdre du poids. L'artérite temporale est une affection grave qui peut conduire à la crise d'apoplexie ou à la cécité et elle nécessite une prompte attention médicale. Si votre âge vous place dans le groupe cible et si vos maux de tête sont d'apparition récente, votre médecin vous prescrira certainement un examen du sang destiné à dépister cette affection — la mesure de la vitesse de sédimentation globulaire. Si son résultat le justifie, une biopsie de l'artère temporale sera alors nécessaire.

Cette affection réagit souvent très bien à de faibles doses de stéroïdes (composés de la cortisone). Si les douleurs disparaissent et si la vitesse de sédimentation se normalise avec le traitement, il faut en diminuer progressivement les doses. Pour s'assurer du contrôle de l'affection, il faut effectuer d'autres mesures de la vitesse de sédimentation, même après la fin du traitement.

ATTAQUE D'APOPLEXIE

Très rarement, les maux de tête sont un signe avertisseur d'une hémorragie dans le cerveau ou autour. Le saignement peut affecter le cerveau lui-même et se mélanger avec le liquide cérébro-spinal. Il peut être la conséquence de la rupture d'un anévrisme ou d'un vaisseau sanguin. Les maux de tête peuvent être accompagnés d'une diminution de la conscience et de raideurs ou de douleurs au cou. Selon la localisation de l'hémorragie, des douleurs au dos et aux jambes peuvent apparaître.

HYPERTENSION ARTÉRIELLE

L'hypertension artérielle peut parfois engendrer des maux de tête. Dans ce cas, il vaut mieux traiter les causes de l'hypertension que les maux de tête qui en résultent. Malheureusement, certains médicaments pour traiter l'hypertension peuvent provoquer des maux de tête. Consultez votre médecin si vous souffrez de maux de tête tout en prenant des médicaments pour l'hypertension.

MÉNINGITE

La méningite est une inflammation des membranes qui recouvrent le cerveau — les méninges. Les maux de tête ne sont que l'une de ses nombreuses manifestations qui comptent de la fièvre, des symptômes de rhume, de la fatigue, des vomissements, une nuque raide et une hypersensibilité à la lumière. La méningite peut être de deux types, virale ou bactérienne. La méningite virale n'est pas trop grave et ceux qui en souffrent se rétablissent assez rapidement. La méningite bactérienne ou méningite cérébrospinale est autrement grave — il s'agit d'une infection sérieuse et souvent mortelle qui nécessite une attention médicale immédiate et un traitement aux antibiotiques.

SINUSITE

La sinusite est une infection des sinus qui provoque leur inflammation, la congestion des vaisseaux sanguins et l'interruption de l'écoulement du mucus nasal. Du pus se forme alors dans les cavités des sinus et ne peut plus s'en écouler. Les victimes de sinusite ont souvent de la fièvre.

Des maux de tête accompagnent souvent le blocage des canaux d'écoulement des sinus. La douleur se fait habituellement sentir juste au-dessus et au-dessous des yeux, à l'emplacement des sinus.

Bien que de nombreuses personnes pensent souffrir de maux de tête dus à la sinusite, seulement une personne sur 50 en souffre vraiment. Les médecins attribuent la responsabilité de cette confusion à l'excès de publicité sur l'aspirine qui parle de la «douleur du rhume de sinus». En fait, de nombreux maux de tête, y compris les migraines, peuvent être responsables des mêmes troubles des sinus. Le diagnostic de sinusite est posé à la suite d'une radiographie du crâne qui montre un blocage manifeste des sinus. Si vous êtes dans ce cas, vous devez consulter un oto-rhino-laryngologiste — un médecin spécialiste des affections des oreilles, du nez et de la gorge. Le traitement prescrit risque alors de comporter des antibiotiques, des décongestionnants et des antihistaminiques. Ce spécialiste peut aussi avoir besoin de drainer mécaniquement vos sinus et, dans certains cas, d'avoir recours à la chirurgie.

TROUBLES DE L'ARTICULATION
TEMPORO-MAXILLAIRE

Les troubles de l'articulation temporo-maxillaire dont on parle de plus en plus impliquent des tensions musculaires dans l'articulation de la mâchoire. Les maux de tête en sont la manifestation la plus courante. La douleur affecte habituellement la base du crâne, la nuque ou l'arrière de l'oreille. Ces troubles sont souvent provoqués par l'alignement incorrect des dents ou leur grincement pendant la nuit et ils doivent être traités par un dentiste. Leur diagnostic semblant être facilement porté à la légère, vous avez intérêt à consulter un médecin omnipraticien ou un spécialiste des maux de tête pour vous assurer que les vôtres sont bien de cette nature. Certains de leurs traitements comportent des exercices de la mâchoire, des appareils dentaires, des massages, un traitement par la chaleur ou la prise de sédatifs et de relaxants musculaires. Le recours à la chirurgie est rarement nécessaire.

TIC DOULOUREUX DE LA FACE
(NÉVRALGIE DU TRIJUMEAU)

Le tic douloureux de la face affecte les nerfs du visage et ses douleurs peuvent être très violentes. Les hommes et les femmes en souffrent indifféremment après la cinquantaine. Ses victimes ressentent des picotements périodiques ou de violents accès douloureux d'un côté du visage. La douleur peut être déclenchée par le simple toucher et ses victimes évitent parfois de se brosser les dents, de se raser ou de se maquiller pour y échapper. La cause de cette affection est mal connue, la seule chose certaine étant l'envoi d'un signal douloureux au cerveau par l'intermédiaire du nerf trijumeau. Le traitement dépend de la gravité de l'affection et des réactions au médicament employé. Un agent anticonvulsif peut être efficace et une intervention chirurgicale sur le nerf est parfois nécessaire malgré ses séquelles d'insensibilité du visage.

FATIGUE OCULAIRE ET MALADIES DE L'ŒIL

La douleur de certaines céphalées est située dans les yeux et non pas dans la tête. Un examen soigneux de l'œil est souvent un bon outil de diagnostic car une maladie de l'œil ou même la fatigue oculaire peut entraîner des maux de tête. Par ailleurs, des douleurs de diverses régions de la tête peuvent aussi avoir une répercussion au niveau de l'œil.

La fatigue oculaire peut provoquer des maux de tête et la lecture sous un mauvais éclairage ou sans vos lunettes correctrices peut les déclencher. Vous pouvez aussi en souffrir à cause d'un besoin de porter des lunettes. Si vous craignez d'être dans ce cas, faites examiner votre vue par un optométriste ou un oculiste qui vous prescrira des lunettes si nécessaire. L'éclairage fluorescent et son imperceptible clignotement peuvent parfois déclencher des maux de tête. Une lumière éblouissante ou un soleil ardent peuvent aussi en être cause. Si vos douleurs proviennent de la fatigue oculaire, vous devriez constater leur disparition après vous être reposé les yeux, avoir mis des lunettes ou avoir fait modifier celles que vous possédez déjà.

Le glaucome est une cause beaucoup plus grave de maux de tête. Cette affection provoque une pression excessive à l'intérieur de l'œil et la vision devient voilée comme par un brouillard. Laissé sans traitement, le glaucome peut conduire à la cécité. Il ne frappe pas que les personnes âgées, les jeunes peuvent aussi en souffrir.

En cas de doute, un simple test permet de mesurer la pression interne de l'œil. De nombreux médecins recommandent de l'effectuer tous les ans chez tous les adultes, même chez ceux qui ne présentent pas de symptôme suspect. Le traitement du glaucome est médical et chirurgical. Des médicaments pouvant en aggraver certains types, ce test est donc très important. Le traitement médical comporte des antihistaminiques, des antinauséeux, des tranquillisants, des laxatifs, des antidépresseurs, etc. Si vous souffrez de glaucome, faites vérifier vos médicaments par votre médecin.

HYPOGLYCÉMIE

L'hypoglycémie n'est pas une maladie mais une insuffisance de sucre dans le sang. Les maux de tête peuvent être l'un de ses symptômes. Tout en étant un signe précoce de diabète, l'hypoglycémie peut aussi être la manifestation de nombreux autres problèmes de santé sous-jacents comme une tumeur du pancréas ou une maladie du foie. Bien qu'on puisse penser que l'hypoglycémie est une affection courante, la véritable insuffisance de glucose dans le sang est extrêmement rare.

Une insuffisance de glucose provoque parfois des maux de tête. Outre les céphalées, ses symptômes comprennent de la confusion, des étourdissements, des sueurs et parfois même des pertes de conscience. De nombreux médecins pensent que les médias ont exagéré la fréquence de l'hypoglycémie dans la population et fabriqué une fausse impression dans le grand public. L'examen permettant de diagnostiquer l'hypoglycémie est l'hyperglycémie provoquée; elle dure cinq heures et mesure régulièrement le taux de sucre du sang après ingestion d'une quantité déterminée de glucose.

Ceux qui présentent des maux de tête après avoir sauté un repas ne souffrent pas nécessairement d'hypoglycémie. Les migraineux, par exemple, ont souvent des maux de tête s'ils restent sans manger. Cela ne signifie pas qu'ils souffrent d'hypoglycémie. Les maux de tête consécutifs à des repas sautés ou à de longues périodes passées sans manger peuvent être évités grâce à l'absorption de quatre à six petits repas par jour. Une collation riche en protéines avant le coucher peut faire disparaître les maux de tête matinaux apparaissant après une nuit de jeûne.

Maintenant que vous êtes familiarisé avec les différents types de maux de tête, vous souhaitez certainement en apprendre plus sur leurs possibilités de traitement. Il est temps pour vous de cesser d'avoir mal sans réagir. Grâce au chapitre suivant, vous apprendrez comment éviter de souffrir de maux de tête sans le secours de médicaments.

CHAPITRE 8

Un soulagement sans médicaments

À cet instant, vos maux de tête sont certainement un insurmontable problème qui conditionne toute votre vie. Mais il existe des *moyens* de le résoudre et de vous soulager en maîtrisant et en combattant vos maux de tête sans recourir aux médecins ni aux médicaments. Des médecins et des victimes de maux de tête ont mis au point et utilisent de nombreuses méthodes non médicamenteuses pour soulager ces maux. Elles connaissent des succès variables mais certaines d'entre elles vous aideront certainement.

Vous aimeriez probablement éviter — et votre médecin aussi — la prise de médicaments pour vos maux de tête avant que cela ne devienne vraiment indispensable. Vous seriez même certainement ravi de pouvoir vous en passer. La dépendance aux médicaments peut devenir un problème très sérieux pour les victimes de céphalées qui les utilisent contre la douleur. La plupart des analgésiques — y compris ceux qui ne nécessitent pas de prescription — demandent des doses de plus en plus importantes au fur et à mesure que le phénomène d'accoutumance s'installe. Et de plus, à l'arrêt de la prise des médicaments, de désagréables manifestations de sevrage risquent de se produire.

L'aspirine est probablement le médicament dont on abuse le plus. Sous ses dehors anodins, l'aspirine prise en doses excessives peut entraîner de graves troubles des reins. Les médicaments sur prescription peuvent engendrer une accoutumance, surtout ceux qui comportent des analgésiques associés à des tranquillisants. Cela ne signifie pas que tous les médicaments doivent être uniformément rejetés, car la plupart des victimes de céphalées en ont besoin pour les prévenir ou les maîtriser. Il faut simplement veiller à ne pas en faire un usage continu.

Pour diverses raisons, il est prudent d'essayer des méthodes non médicamenteuses avant de se tourner vers les médicaments. Des victimes de maux de tête ont trouvé le soulagement en utilisant les méthodes suivantes: exercice physique, modification des habitudes de sommeil, acupuncture ou acupression, bio-feedback, sac de glace, coussin chauffant, techniques de relaxation, massages, sexualité, hypnose, méditation, suppression d'aliments, régime pauvre en sucres et riche en protéines avec petits repas fréquents, ajustements chiropratiques, réchauffement des mains et même absorption de tisanes. Il y a de fortes chances pour que l'une d'entre elles soit efficace pour vous.

RÔLE DE L'ALIMENTATION

Beaucoup de gens ont découvert que ce qu'ils mangeaient ou ne mangeaient pas influait sur la fréquence et la gravité de leurs maux de tête. Ils ont, par exemple, constaté que l'élimination de la tyramine de leur régime les aidait — la tyramine est cette substance qui agit sur la dilatation des vaisseaux sanguins et se retrouve dans de nombreux aliments. Le tableau suivant indique les aliments à proscrire et par lesquels les remplacer. S'il vous est impossible de les éviter, essayez cependant d'en manger moins. Consultez votre médecin avant de commencer un régime alimentaire car il est le seul à pouvoir décider qu'il est sans danger pour vous.

Aliments à éviter	*Aliments de remplacement*
cheddar	fromage américain
gruyère	Velveeta ou autre fromage fondu
brie	ricotta
autres fromages fermentés	fromage cottage, fromage à la crème
yogourt	quantité limitée à 125 ml
crème sure	succédanés de crème
babeurre	
lait chocolaté	
saucisson de Bologne	viandes fraîches
salami	
pepperoni	
hot-dogs	
porc	
autres viandes fumées ou préparées	
foies de poulet	
harengs marinés	
avocats	consommation journalière
bananes	limitée à 1/2 banane,
papayes	1/2 pamplemousse ou
pamplemousses	125 ml de jus d'orange
oranges	
autres agrumes frais et boissons aux agrumes	
haricots pinto	
haricots de Lima	

Aliments à éviter	*Aliments de remplacement*
petits haricots blancs	
pois chiches	
pois mange-tout	
noix	
beurre d'arachide	
graines de tournesol	
graines de sésame	
graines de citrouille	
raisins secs	
oignons	
choucroute	
levure	
pain au levain	pains commerciaux
beignes	
pain frais maison	
bière	Toutes les boissons alcoolisées
xérès	devraient être évitées, mais les moins
vin rouge*	nocives sont la vodka et les vins,
bourbon	et les bières sans alcool
autres boissons alcoolisées	

* Selon une étude, le vin blanc favorise moins les crises de migraine que le vin rouge.

Note: Ce tableau a été préparé avec la collaboration de la Diamond Headache Clinic.

Aliments à éviter	*Aliments de remplacement*
glutamate monosodique (MSG), présent dans de nombreuses conserves et la cuisine chinoise	préciser «sans glutamate» au restaurant chinois
sauce soja	
vinaigre	
marinades	
chocolat	
café	café décaféiné,
thé	tisanes, sodas et boissons
autres boissons avec caféine	gazeuses sans caféine

EFFET DE LA RELAXATION

Les tensions peuvent provoquer les maux de tête ou les aggraver car l'organisme réagit physiquement au stress. Sous l'action du stress, les vaisseaux sanguins et les muscles peuvent se contracter en provoquant des douleurs. Ce réflexe date de l'ère paléolithique pendant laquelle l'homme de Neandertal courait des dangers mortels et ne devait sa survie qu'à ses réactions de fuite ou de combat. Lorsque l'homme des cavernes était effrayé, son cœur battait plus vite, sa tension artérielle s'élevait et ses pupilles se dilataient en prévision de l'action. De nos jours, bien que la plupart des dangers de la préhistoire aient disparu, notre réaction physique est restée la même en situation de stress.

La réaction physique au stress porte le nom de *réponse sympathique*. L'emploi de méthodes de relaxation permet de la déprogrammer. Certaines victimes de maux de tête ont ainsi obtenu un soulagement remarquable. Vous pouvez aussi apprendre à amplifier cette réponse qui accroît le flux sanguin et possède un effet calmant grâce à des techniques de relaxation.

Une réponse parasympathique trop tardive et trop violente risque toutefois d'être à l'origine de douleurs migraineuses. (Théoriquement, après la vasoconstriction initiale qui peut engendrer les troubles visuels précédant la migraine, la réponse parasympathique se déclenche en faisant dilater les artères et en provoquant la douleur battante de la migraine.) Tout dépend donc de la *précocité* de la réponse parasympathique.

Pour certains, la relaxation est beaucoup plus difficile à réaliser qu'il n'y paraît. Heureusement, vous pouvez vous y entraîner grâce à des exercices. Avec un peu d'habitude et de prévoyance, vous devriez être capable de vous débarrasser de vos tensions grâce aux exercices suivants.

Le souffle d'air frais

Inspirez profondément par le nez tout en comptant jusqu'à 8. Plissez ensuite les lèvres et expirez longuement en comptant jusqu'à 16 — le plus lentement possible. Concentrez-vous sur le bruit de votre respiration et essayez d'imaginer la disparition de vos tensions pendant que vous expirez. Répétez 10 fois cet exercice.

La porte battante

Asseyez-vous confortablement et restez immobile. Visualisez une double porte battante. Inspirez en imaginant que les portes battent vers l'intérieur. Expirez lorsqu'elles battent vers l'extérieur. Continuez à respirer en suivant le battement des portes. Si d'autres pensées vous viennent à l'esprit pendant que vous contemplez les portes, laissez-les y pénétrer et en ressortir. Laissez votre esprit dériver. Détendez-vous. Les portes battantes ont un mouvement hypnotique et elles maintiennent la régularité de votre respiration.

La poupée de chiffon

Installez-vous en position assise ou allongée. Commencez par le dessus de votre tête et, en silence, dites-vous: *«Relaxe ton front, relaxe ta mâchoire, relaxe ta bouche, relaxe ton cou...»* Concentrez-vous sur la relaxation de toutes les parties de votre corps, une seule à la fois. Très vite, votre corps va devenir aussi mou que celui d'une poupée de chiffon.

L'attirance des contraires

Voici un exercice de contraction et de relâchement. Nous ne sommes pas souvent conscients des tensions musculaires de notre corps. Cet exercice vous en fera prendre conscience et vous donnera une idée de ce qu'est un état de détente.

Choisissez une partie de votre corps, vos mâchoires, par exemple. Serrez-les et contractez leurs muscles en grinçant des dents. Détendez ensuite vos muscles. Percevez bien la différence entre la contraction et le relâchement. Choisissez une autre partie de votre corps, un bras, par exemple. Raidissez-en les muscles, puis détendez-les. Recommencez et percevez bien la différence entre les deux états.

Un visage de verre

Asseyez-vous d'une manière détendue et concentrez-vous sur votre respiration. Imaginez que votre visage devient aussi lisse qu'une vitre, sans une ride ni une ouverture. Imaginez que votre visage est comme un lac de verre, sans aucune perturbation.

Cinq minutes de vacances

Imaginez-vous sur une plage. Regardez les vagues déferler sur le sable et se retirer, déferler sur le sable et se retirer... Concentrez-vous sur votre plage pendant au moins cinq minutes et détendez-vous ainsi.

La respiration abdominale

Asseyez-vous sur une chaise. Fermez les yeux et respirez avec lenteur. Posez votre main sur votre ventre et percevez son mouvement de montée et de descente à chaque respiration. À l'inspiration, votre main est soulevée. À l'expiration votre main disparaît dans votre abdomen. Vous respirez maintenant avec votre abdomen au lieu de votre poitrine.

Le mot de passe

Utilisez la respiration abdominale de l'exercice précédent. En expirant, répétez constamment et en silence un mot comme *calme, détente, paix, murmure, harmonie* ou *douceur*.

COMMENT RÉDUIRE LE STRESS

Le stress est une réponse universelle et parfois inévitable. Malheureusement, un niveau de stress élevé déclenche des maux de tête chez de nombreuses personnes.

Tout dépend de la réaction de chacun. Un patron exigeant peut, par exemple, perturber certains employés et être un défi pour d'autres. Le *stress* n'est pas nécessairement négatif et une faible dose peut même produire une stimulation bénéfique. Mais dès qu'il commence à perturber votre vie, vous devez reconsidérer votre manière de réagir. Vos maux de tête seront considérablement améliorés par une vie moins stressée. Les conseils suivants, fournis grâce à l'obligeance de la National Headache Foundation, vous aideront à stabiliser votre vie et à réduire le nombre de vos crises de céphalées. Diminuez votre angoisse et vos frustrations en suivant ces conseils, mais souvenez-vous qu'ils ne s'appliquent pas tous à vous seul. Recherchez ce qui vous stresse le plus et appliquez le conseil qui s'adapte le mieux aux circonstances.

- Chaque matin, levez-vous quinze minutes plus tôt qu'à l'habitude. En étant moins pressé, vous éviterez le stress des querelles et des incidents du lever. Vous pouvez même vous préparer la veille au soir pour le matin. Mettez la table du déjeuner, sortez les vêtements que vous allez porter, remettez vos dossiers dans votre serviette, etc. Un matin bien organisé minimise les problèmes de la journée.
- Ne faites pas aveuglément confiance à votre mémoire. Utilisez plutôt un calendrier pour noter vos rendez-vous, le jour pour aller chercher vos vêtements chez le nettoyeur, la date de retour des livres empruntés à la bibliothèque, etc. De cette manière, l'angoisse de ne plus vous souvenir de ce que vous *aviez* à faire pourra disparaître.
- Faites faire un double de la clé de votre maison et cachez-le quelque part dans la cour. Ayez un double de la clé de votre voiture dans votre portefeuille. Ainsi, vous ne craindrez plus jamais d'être enfermé hors de votre maison ou de votre voiture.
- Effectuez l'entretien préventif de votre voiture, de vos appareils électroménagers et de votre maison pour ne pas risquer de panne ou d'incident au plus mauvais moment. À titre préventif, gardez toujours dans votre cuisine des aliments de dépannage — de quoi faire une salade de thon ou des spaghettis à la sauce tomate — pour ne jamais vous trouver sans *rien* à manger pour le souper.

- Préparez-vous à attendre patiemment votre tour lorsque c'est nécessaire. Ayez avec vous un journal ou un magazine pour pouvoir faire passer agréablement le temps en lisant au lieu de vous impatienter.

- La temporisation peut générer du stress. Ne remettez pas au lendemain ce que vous pouvez faire le jour même. Prévoyez assez longtemps à l'avance. Ne laissez jamais le niveau du réservoir d'essence de votre voiture descendre au-dessous du quart. N'attendez pas d'avoir utilisé votre dernier jeton de péage ou votre dernier timbre pour en acheter d'autres.

- Ne vous obstinez pas à utiliser un appareil qui fonctionne mal. Si votre réveille-matin, l'essuie-glace de votre voiture, votre grille-pain, etc., fonctionnent de moins en moins bien, faites-les réparer ou remplacez-les.

- Ne vous mettez pas en retard. Prévoyez quinze minutes de délai supplémentaire pour arriver à vos rendez-vous, à la gare ou à l'aéroport. Arrangez-vous pour arriver à l'aéroport avec une heure d'avance sur l'horaire de votre avion.

- Prévoyez toutes les éventualités. Mettez-vous, par exemple, d'accord avec votre conjoint sur la conduite à tenir en cas de retard de l'un de vous ou donnez-lui un point de rencontre au cas où vous vous perdriez de vue dans le supermarché.

- Diminuez vos exigences. Votre relevé de banque ne correspond peut-être pas au dollar près à vos propres calculs. Soyez un peu plus souple. La perfection n'est pas toujours de ce monde et lorsqu'elle l'est, elle n'est pas forcément admirable. La terre ne s'arrêtera pas de tourner si la vaisselle n'est pas lavée ce soir, si le lit n'est pas fait ce matin ou si la pelouse n'est pas tondue cette fin de semaine.

- Soyez positif. Pour chaque chose qui s'est mal passée aujourd'hui, il est probable que 10 ou 15 autres se sont bien passées. La gardienne d'enfant est arrivée à l'heure, vous n'avez pas oublié votre parapluie ou vous avez réussi à prendre le premier train. Souvenez-vous de tout ce qui a été parfait. Le souvenir des bonnes choses peut faire diminuer votre contrariété devant la seule chose qui *n'a pas marché*.

- Faites correctement les choses dès la première fois. Répétez-vous les instructions et posez des questions à propos de la tâche qui vous est assignée. Si vous y parvenez au premier essai, vous gagnerez des heures et vous éviterez peut-être un mal de tête.

- Apprenez à dire non. Refusez un projet supplémentaire, un discours que vous n'avez pas envie de prononcer ou une obligation sociale pour laquelle vous n'avez pas le temps. Cela vous demandera sans doute un peu de pratique et quelques concessions, surtout si vous n'en avez pas l'habitude, mais vous avez besoin d'un peu de temps libre pour parvenir à diminuer votre stress.

- Débranchez votre téléphone. C'est plus facile à dire qu'à faire, mais si vous ne voulez pas être dérangé pendant votre sommeil, votre bain ou un moment de silence, isolez-vous du monde extérieur. L'éventualité d'une terrible urgence dans l'heure qui suit est pratiquement nulle, mais vous n'êtes pas à l'abri de l'appel d'un vendeur d'assurance-vie ou d'un voisin bavard.

- Liez-vous d'amitié avec des gens qui ne sont pas tourmentés. Rien ne risque plus de vous rendre inquiet que la fréquentation d'anxieux chroniques.

- En travaillant, levez-vous périodiquement et étirez-vous. Ne restez pas tassé dans la même position toute la journée.

- Dormez suffisamment. Si nécessaire, utilisez un réveille-matin pour vous indiquer qu'il est l'heure d'*aller vous coucher*.

- Instaurez un ordre dans le chaos ambiant. Organisez vos lieux de résidence et de travail de manière à pouvoir trouver facilement ce que vous cherchez. Rangez les choses à leur place et vous n'aurez plus le stress de les chercher désespérément lorsque vous en aurez besoin.

- Respirez profondément et lentement. Lorsque les gens sont stressés, ils ont tendance à respirer rapidement et superficiellement. Cette mauvaise habitude peut provoquer des tensions musculaires à cause de la mauvaise oxygénation des tissus. Détendez vos muscles et prenez plusieurs respirations profondes si vous constatez que c'est votre cas. Si vous êtes détendu, votre abdomen et votre poitrine pourront se gonfler librement pendant la respiration.

- Écrivez vos sentiments et vos pensées dans un journal intime. En notant vos pensées et vos réflexions, vous pourrez considérer les choses plus clairement et avoir une nouvelle vision de votre vie. Gardez-le à l'abri des regards indiscrets pour ne pas craindre de voir vos pensées secrètes déchiffrées par un étranger.

- Faites de la visualisation pour dédramatiser les événements stressants. Par exemple, si vous avez peur de prendre la parole devant un vaste auditoire, vivez d'abord en imagination chaque instant de l'expérience. Imaginez votre habillement, votre arrivée sur le podium, l'aspect de votre auditoire, le déroulement de votre discours, les questions auxquelles vous aurez à répondre et les réponses que vous leur ferez. Visualisez clairement la manière dont vous voulez que tout se passe. Lorsque le moment du discours arrivera, la situation vous sera déjà familière et vous effraiera beaucoup moins. La plus grosse part de vos angoisses devrait disparaître grâce à la visualisation préalable de l'événement.

- Prenez le temps de souffler. Ne planifiez pas vos journées sans même vous laisser le temps d'aller à la salle de bain. Les rendez-vous enchaînés les uns après les autres ne sont pas toujours la meilleure manière de travailler. Laissez-vous un peu de temps entre chacun et évitez de vous tourmenter. Créez des diversions en faisant un peu d'exercice ou en allant faire une petite marche.

- Confiez vos problèmes à une personne de confiance, parent ou ami. Cela clarifiera les choses dans votre esprit et vous permettra de vous sentir moins seul.

- Essayez d'éviter les personnes et les situations stressantes. Les ragots vous horripilent? Ne vous asseyez donc pas à côté d'une commère notoire à la prochaine soirée. Rester au téléphone pendant plus de dix minutes vous met hors de vous? Raccrochez donc lorsque vous en avez assez. Vous n'aimez pas les responsabilités? N'acceptez pas un poste de supervision, même si le salaire *est* un peu plus intéressant que celui qu'on vient de vous offrir et qui n'en comporte aucune. Le fait d'éviter de mener le style de vie et de traverser les événements qui vous stressent peut avoir un excellent effet sur votre état d'esprit et éloigner du même coup vos maux de tête.

• Prenez un bain chaud pour libérer vos tensions. (En été, un bain froid aura le même effet.)

• Essayez d'améliorer votre apparence. Meilleure sera votre apparence et mieux vous vous sentirez. Une visite chez le coiffeur, l'achat d'un nouveau tailleur ou d'un complet neuf peut vous donner l'impulsion nécessaire. Traitez-vous correctement car vous le méritez bien.

• Éliminez de votre vocabulaire les remarques autodestructrices comme «Je suis trop vieux pour...» ou «Je suis trop grosse pour...».

• Mettez vos fins de semaine à profit. Sans modifier vos habitudes de sommeil pendant les fins de semaine, un changement de rythme peut vous être salutaire. Si vos semaines sont surchargées et trépidantes, utilisez vos fins de semaine pour vous reposer et vivre en solitaire. Si vous travaillez seul pendant la semaine, rencontrez des gens pendant les fins de semaine. Si vous passez vos journées devant un terminal d'ordinateur, sortez et faites de l'exercice le samedi et le dimanche. Si votre vie est calme et bien réglée toute la semaine, ajoutez-y de l'aventure et de la fantaisie pendant les fins de semaine.

• Si vous avez une tâche déplaisante à faire, débarrassez-vous-en dès le matin pour qu'elle ne vous angoisse pas pendant toute la journée.

• Ne faites pas tout par vous-même. Apprenez à déléguer des responsabilités à d'autres qui sont tout aussi capables que vous de les assumer. Vous n'avez nul besoin de tout faire par vous-même.

• Oubliez et pardonnez. Ne soyez pas rancunier. Acceptez que les gens qui vous entourent et le monde dans lequel vous vivez ne soient pas parfaits. Donnez le bénéfice du doute à votre entourage. Soyez persuadé qu'ils font de leur mieux.

Apprendre à vivre avec le stress normal de la vie ne sera pas seulement bénéfique pour vos maux de tête. Un style de vie nouveau et plus sain devrait en être la récompense. Tout en suivant ces conseils de réduction du stress, veillez à bien vous alimenter, à faire régulièrement de l'exercice physique et à rester en bonne santé. Veillez aussi à l'effet que votre lieu de travail et vos collègues risquent d'avoir sur vous. Vous devriez pouvoir rapidement maîtriser les événements stressants de votre vie et être mieux en mesure d'éviter les maux de tête.

LE BIO-FEEDBACK

Le bio-feedback peut vous aider à faire disparaître vos maux de tête car il vous apprend à contrôler les fonctions involontaires de votre organisme comme le rythme cardiaque, la tension artérielle et le tonus musculaire. Il est utilisé depuis les années 60 et a prouvé son efficacité dans le traitement de certains types de maux de tête comme les migraines et les céphalées de tension. En fait, certains spécialistes pensent qu'avec le bio-feedback et la relaxation, pratiquement toutes les victimes de céphalées de tension peuvent les éliminer et plus de la moitié des migraineux peuvent éviter les crises ou les faire avorter.

Le bio-feedback apprend aux patients à se détendre par des moyens électroniques. La méthode est indolore mais elle peut demander un certain temps d'adaptation. Il faut environ 10 séances d'apprentissage et de la pratique pour y parvenir, et des séances de perfectionnement sont parfois nécessaires.

Pendant les séances, le patient est branché sur des appareils électroniques sophistiqués. Des détecteurs placés sur sa peau transmettent sa température corporelle, ses tensions musculaires, son rythme cardiaque et d'autres paramètres. Il doit réchauffer ses mains en faisant dévier sa circulation sanguine de sa tête vers ses mains. Ces exercices de contrôle de la température se sont montrés très efficaces pour réduire la gravité et la fréquence des migraines. Au cours de l'entraînement à l'électromyographe, le patient apprend à reconnaître les tensions musculaires de son front, de son cou, de ses épaules et de ses mâchoires et à y réagir par la relaxation profonde (voir les exercices des pages 80 à 82). Le bio-feedback est aussi utilisé en combinaison avec l'imagerie mentale dont l'effet physique permet la détente. Des cassettes de relaxation peuvent aussi servir à la détente chez soi. De cette manière, le patient apprend à éviter les crises de maux de tête causées par les nombreux stimuli de la vie quotidienne auxquels il réagit de façon excessive.

Lorsqu'elles sont pratiquées quotidiennement, ces méthodes sont très efficaces pour éviter les crises douloureuses. Elles le sont encore plus si elles servent à faire avorter une crise de maux de tête qui débute.

Il est intéressant de constater que de nombreux patients qui se croyaient détendus montrent des réactions prouvant le contraire. Pour certains, il peut être très difficile d'apprendre à se relaxer après les années de tension qui ont fini par devenir la norme. Avec le temps, tout le monde parvient à pratiquer le bio-feedback à condition d'être assidu et de s'astreindre à une pratique quotidienne. Grâce à la facilité de détente, la diminution des maux de tête agit comme le plus efficace moyen de renforcement.

Le bio-feedback agit chez pratiquement tout le monde, mais ce n'est pas le remède miracle de tous les maux de tête ni de toutes les maladies. Il s'avère totalement inefficace sur les céphalées des tumeurs au cerveau ou des maladies de l'œil. Pour cette raison, nous vous conseillons une fois de plus de ne pas tenter de faire seul le diagnostic et le traitement de vos maux de tête.

L'ACUPUNCTURE

L'acupuncture est aujourd'hui devenue un remède très populaire pour de nombreuses affections, dont les maux de tête. C'est une méthode de traitement de la douleur qui date de plusieurs milliers d'années et qui a surtout été utilisée par les Chinois pour prévenir et guérir leurs problèmes de santé.

Elle est pratiquée avec de très fines aiguilles en acier inoxydable qui sont enfoncées dans le corps à des endroits spécifiques et roulées sur elles-mêmes ou traversées par un faible courant électrique. Il existe entre 500 et 800 points qu'un acupuncteur doit connaître et qui correspondent chacun à un problème spécifique. Par exemple, un point de la main peut servir pour les maux de dent alors qu'un autre peut traiter les maux de gorge. La bonne implantation des aiguilles est censée équilibrer l'énergie du corps en soulageant la douleur et les maladies provenant de son déséquilibre. Bien que tout cela soit difficile à concevoir, l'acupuncture semble bien être un moyen de traitement efficace dans certaines situations. Le soulagement des maux de tête et des migraines en fait partie. Les Chinois assurent que l'acupuncture a un effet anesthésiant et qu'une opération chirurgicale peut être réalisée avec ce seul moyen.

Comment agit l'acupuncture? Nous ne le savons pas vraiment. Certaines théories la relie au pouvoir du toucher: le toucher de la peau est transmis par les nerfs beaucoup plus rapidement que la sensation de douleur. Le toucher peut donc dévier ou bloquer certains stimuli douloureux dans certains cas. D'autres études ont émis l'hypothèse que l'acupuncture libérait dans le corps des substances dont l'effet narcotique diminuait la sensation de douleur.

Un traitement d'acupuncture dure de vingt à trente minutes et plusieurs séances sont nécessaires pour un soulagement efficace.

Le meilleur moyen de trouver un acupuncteur est de demander conseil à votre médecin. Choisissez-en un dont la réputation est bien établie. Si votre médecin n'en connaît pas, appelez un hôpital universitaire qui devrait pouvoir vous en indiquer un. Vous pouvez aussi essayer de prendre contact avec une clinique de la douleur que votre médecin connaîtra dans votre région. Mais l'acupuncture demeure un moyen de traitement controversé qui a ses partisans et ses adversaires. Avant de vous tourner vers l'acupuncture, il est indispensable qu'un diagnostic exact et précis de vos maux de tête soit posé. Les médecins conseillent d'essayer d'abord des traitements plus conventionnels.

LA STIMULATION NERVEUSE TRANSCUTANÉE

La stimulation nerveuse transcutanée ressemble un peu à l'acupuncture en ceci qu'elle empêche certains nerfs de transmettre la douleur. Accessible sur prescription médicale depuis le début des années 70, elle soulage les maux de tête de certaines personnes.

Le stimulateur utilisé (TENS) est un petit appareil à batterie de la taille d'un paquet de cigarettes qui peut être porté sous les vêtements. La fréquence et l'intensité de ses pulsations sont réglables et la stimulation effectuée peut être périodique ou constante. Le succès à long terme de cette méthode est variable. Elle semble mieux convenir aux douleurs bien localisées et peu étendues, et son taux de succès est de l'ordre de 50 %. Bien que paraissant sûre, la stimulation transcutanée devrait être utilisée en complément d'autres méthodes de soulagement de la douleur, car elle n'a jamais prouvé son efficacité, surtout pour les maux de tête.

L'HYPNOSE

L'hypnose, cet art de créer un état de transe, peut aider certaines personnes à maîtriser leurs maux de tête. Son efficacité est reconnue pour le soulagement des migraines. Le fait qu'elle puisse soulager les céphalées ne signifie pas que la douleur ne soit qu'un effet de l'imagination. Une transe hypnotique agit plutôt en enrayant la perception d'une douleur physique. Elle n'est donc pas un remède, mais bien un outil de soulagement de la douleur. Ce soulagement peut suffire à rendre votre vie à nouveau normale, à vous faire retrouver la maîtrise de la situation et à vous permettre de trouver la vraie solution à vos maux de tête.

Malheureusement, l'hypnose ne convient pas à tout le monde. Beaucoup de gens éprouvent de grandes difficultés à se faire hypnotiser ou à apprendre l'auto-hypnose. De plus, certaines personnes faciles à hypnotiser trouvent que cette méthode ne soulage que peu ou pas leurs douleurs. La maîtrise totale de la douleur par l'hypnose semble être réservée à un très petit nombre de candidats. L'apprentissage de l'auto-hypnose nécessite un professeur compétent qu'il n'est pas toujours facile de trouver. Demandez à votre médecin de vous indiquer le nom d'un hypnothérapeute compétent, de préférence médecin. Certaines cliniques de la douleur possèdent parfois de tels thérapeutes. Vous pouvez aussi vous renseigner auprès d'un centre hospitalier universitaire ou d'une société de psychologie.

L'IMAGERIE MENTALE

La plupart des gens font des rêves éveillés tous les jours. Ils se souviennent d'un moment de grande paix intérieure qu'ils ont éprouvée, font une répétition de ce qu'ils voudraient dire à quelqu'un ou revivent un moment particulier. Ce genre d'images mentales peut aussi servir à soulager les maux de tête. Il est possible d'échapper à la douleur en «changeant délibérément de longueur d'onde» — c'est-à-dire en la remplaçant par l'image d'une scène de calme et de détente.

Un psychologue peut vous entraîner à utiliser l'imagerie mentale à votre profit. Il peut vous inciter à vous rappeler un souvenir agréable et à voir les images, à entendre les bruits et à sentir les parfums de cette belle journée sur la plage ou de ce magnifique voyage de pêche dans les montagnes. Ensemble, vous pourriez même enregistrer au magnétophone le déroulement de votre rêve éveillé avec tous les détails de vos perceptions. Vous pourriez ensuite l'écouter et le refaire volontairement. L'objectif est de pouvoir rappeler le souvenir de cette scène et de vous y laisser emporter pendant une vingtaine de minutes à la moindre crise douloureuse pour en émerger ensuite rafraîchi et reposé. En période de stress, l'imagerie mentale peut aussi être employée comme méthode de relaxation pour éviter l'installation de maux de tête. C'est un moyen de donner à votre esprit un repos nécessaire.

AUTRES MOYENS DE TRAITEMENT

D'autres moyens de traitement moins orthodoxes sont actuellement à l'étude et semblent même être efficaces chez certains patients.

L'*acte sexuel* est connu pour aggraver les maux de tête de certaines personnes mais il peut aussi les soulager. Une étude de la faculté de médecine de l'université de l'Illinois a montré qu'un quart des patientes migraineuses avaient vu leurs douleurs soulagées par l'acte sexuel. Elles ont déclaré que l'orgasme pouvait complètement masquer les douleurs. L'explication de ce phénomène tient au fait que l'acte sexuel fait refluer le sang de la tête vers l'abdomen.

Pour la même raison, le *réchauffement des mains* s'avère aussi efficace avec les maux de tête vasculaires. Avec cette méthode bien acceptée, le patient attire son sang dans ses mains en imaginant, par exemple, qu'elles trempent dans de l'eau chaude. Cette méthode demande parfois une certaine période d'apprentissage et peut constituer un exercice de bio-feedback.

Dans le *traitement thermique* des maux de tête, la victime applique des sacs de glace ou des coussins chauffants sur sa nuque et sur sa tête. La chaleur fait dilater les vaisseaux sanguins et soulage les céphalées de tension; le massage du cou et de la tête peut aussi y améliorer la circulation sanguine. Le froid peut aider à leur contraction et a parfois un effet bénéfique sur les maux de tête vasculaires.

D'autres observations plus anecdotiques ont permis d'envisager d'autres moyens de traitement dont la preuve d'efficacité devrait demander plusieurs années de recherches. Par exemple, une étude de l'université du Tennessee a montré que l'absorption d'une pilule de 100 à 200 milligrammes de *magnésium* pouvait aider 70 % des migraineux à se débarrasser de leurs douleurs. Cette découverte n'ayant pas été confirmée par d'autres études, il faudra les effectuer avant qu'un tel traitement puisse recevoir l'approbation de tout le corps médical.

Une autre étude de peu d'ampleur qui n'a toujours pas convaincu le corps médical faisait d'une *huile de poisson* un traitement possible des maux de tête. Cette huile du nom d'acide éicosapentanoïque est extraite du saumon, du maquereau et d'autres poissons gras. Selon le magazine *Prevention,* les chercheurs de la faculté de médecine de l'université de Cincinnati ont découvert que, prise pendant six semaines, elle avait réduit le nombre des crises de huit migraineux. Il semble qu'elle fasse diminuer le taux de sérotonine dans le sang et empêche la contraction des vaisseaux sanguins. Les migraineux ne doivent toutefois pas en prendre sans le conseil et la surveillance d'un médecin. Évitez de prendre en même temps des capsules d'huile de foie d'un autre poisson car la dose de vitamine A ou D pourrait alors être excessive. Vérifiez d'abord avec votre médecin.

La matricaire, une plante odorante, a aussi été essayée mais, à ce jour, personne ne connaît sa dose efficace et on ignore ses qualités curatives et sa toxicité.

Que les méthodes non médicamenteuses agissent ou non sur vous, n'oubliez pas que vous devez continuer à lutter contre les maux de tête avec tous les moyens accessibles. Si l'un d'eux n'agit pas, n'abandonnez pas pour autant, essayez-en plutôt un autre. Vous finirez certainement par en trouver un, qu'il soit médicamenteux ou non, et que ce soit par les cliniques de la douleur, les médecins ou les psychologues. Vous *pouvez* en finir avec vos maux de tête.

CHAPITRE 9

Comment se soulager de la douleur

Cessez de vivre avec la douleur, la gêne et les inconvénients des maux de tête car vous pouvez en être soulagé. Différentes possibilités peuvent être envisagées depuis les neurologues jusqu'aux psychiatres et depuis les cabinets de médecin jusqu'aux cliniques des hôpitaux. Malheureusement, de nombreuses victimes des maux de tête vont désespérément de médecin en médecin et de spécialiste en spécialiste pour tenter de trouver le soulagement. Ce chapitre devrait les éclairer un peu.

VOTRE MÉDECIN

Si vos symptômes sont simples et n'ont rien d'alarmant, il n'est peut-être pas nécessaire de consulter d'emblée un spécialiste. Votre médecin habituel devrait pouvoir vous aider. Il vaut toujours mieux commencer par lui. Malheureusement, certains médecins n'ont pas beaucoup de sympathie pour les victimes de maux de tête et d'autres pensent à tort qu'il n'y a rien à faire en l'absence de *cause* médicale. Puisque seulement 10 % des maux de tête sont causés par une affection sous-jacente, cela signifierait que 90 % de leurs victimes n'ont aucune aide à espérer. C'est une erreur, car vous pouvez vaincre vos maux de tête.

Recherchez tout de même un médecin qui ne vous prescrive pas de traitement avant d'avoir fait un tour d'horizon complet de votre cas, de vous avoir interrogé sur vos antécédents et de vous avoir fait subir un examen physique complet. Un médecin qui cherche sérieusement la cause de vos maux de tête voudra connaître leur date de début, la fréquence des crises, l'importance des douleurs, les autres manifestations, les facteurs déclenchants, les endroits douloureux et les méthodes de soulagement employées jusqu'alors.

Si votre médecin habituel ne semble pas rechercher sérieusement la cause de vos maux de tête, n'hésitez pas à en consulter un autre ou à vous tourner vers un spécialiste. Parlez-lui néanmoins de votre décision et demandez-lui d'envoyer un résumé de votre dossier à celui que vous aurez choisi. Comme la découverte de la cause de vos douleurs risque d'être une entreprise difficile et que le recours à un autre praticien n'accélérera pas forcément le processus, ne changez pas de médecin sans raison valable. Certains patients estiment que le médecin idéal est celui qui souffre de la même affection qu'eux, car il sera plus compréhensif et fera une exploration plus approfondie de ses causes.

Si votre médecin habituel a des difficultés à découvrir les secrets de vos douleurs et s'il pense que le recours au spécialiste se justifie, il peut vous adresser à un spécialiste des céphalées, à un neurologue, à un psychologue ou à un psychiatre. Un neurologue est un médecin spécialiste du système nerveux et de ses affections. En plus de ses quatre années d'études conventionnelles et de ses trois ou quatre ans de résidence, il a passé au moins deux autres années à étudier spécifiquement la neurologie. Un spécialiste des céphalées peut être un neurologue, un praticien de médecine interne ou un oto-rhino-laryngologiste intéressé par elles ou expérimenté dans leur traitement. Un psychiatre ou un psychologue peut aussi être utile et vous aider à découvrir les troubles affectifs qui leur sont éventuellement reliés.

Pour trouver un neurologue, un psychiatre ou un autre spécialiste:

1. Demandez à votre médecin de vous en indiquer un. Il vous en recommandera certainement un en qui il a confiance. S'il en

est incapable ou si vous préférez trouver un spécialiste par vos propres moyens, continuez la lecture.

2. Téléphonez à un centre hospitalier universitaire où l'on devrait être en mesure de vous indiquer un neurologue ou un psychiatre. Informez-vous de l'existence d'une clinique de la douleur ou des céphalées dans l'hôpital. C'est souvent le meilleur endroit pour trouver l'aide dont vous avez besoin.

3. Consultez l'annuaire téléphonique à la rubrique des médecins.

4. Demandez conseil à une autre victime de maux de tête. Des gens dans la même situation que vous risquent d'être une mine de renseignements précieux. Ils pourront vous indiquer quelqu'un qui prendra votre affection au sérieux et pourra vous soulager.

LES SPÉCIALISTES DE L'ŒIL

Si l'on craint une maladie de l'œil ou si vous-même et votre médecin pensez qu'un examen des yeux pourrait vous être utile, consultez un spécialiste dans ce domaine. Beaucoup de gens étant indécis devant le choix du bon spécialiste, voici quelques précisions à ce sujet.

Un *ophtalmologiste* est un médecin spécialiste des affections de l'œil. Il peut diagnostiquer et traiter ses troubles et ses maladies et en pratiquer la chirurgie. Un *optométriste* n'est pas un médecin mais un technicien qualifié pour prescrire des lunettes correctrices. Il peut évaluer votre besoin de porter des lunettes et déterminer la force de leurs verres. (Un ophtalmologiste pouvant aussi faire cela, l'optométriste vous enverra en consulter un s'il lui semble que votre problème dépasse celui de la mauvaise vue.) Un *opticien* peut seulement exécuter une prescription. Il vend et répare des montures de lunettes et taille leurs verres selon une prescription.

LES SPÉCIALISTES DU BIO-FEEDBACK

Si vous décidez d'essayer le bio-feedback, vous devez trouver un spécialiste dans ce domaine. Il s'agit essentiellement d'une méthode qui doit être mise en œuvre par un technicien qualifié et familier avec l'appareillage. (Ces techniciens ne sont pas toujours médecins.) La découverte d'un bon spécialiste se présente parfois comme un défi à relever. Votre médecin, un psychothérapeute, un psychiatre ou un psychanalyste devrait pouvoir vous en indiquer un. Les cliniques de la douleur possèdent parfois un tel spécialiste dans leur équipe. Un médecin ou un psychologue avec une expérience du bio-feedback n'a pas besoin d'une certification dans ce domaine pour être compétent. Quelle que soit la personne choisie, posez-lui d'abord quelques questions sur sa formation et ses références professionnelles.

LES CLINIQUES DES CÉPHALÉES

Certains hôpitaux abritent parfois des cliniques des céphalées. Celles-ci constituent un bon endroit pour trouver de l'aide si votre médecin est incapable de faire un diagnostic et de vous traiter convenablement. Elles sont habituellement consacrées exclusivement au traitement des maux de tête et affiliées à l'hôpital, mais pas toujours. Elles consistent souvent en un groupe de médecins et de spécialistes comme des neurologues, des psychiatres, des dentistes et des techniciens en bio-feedback. Leur personnel est formé à tenter de régler le problème de chaque patient grâce à divers traitements. Cela peut demander beaucoup de patience aux deux parties, car le diagnostic peut prendre des mois et le traitement durer des années avant que le soulagement soit définitif.

Chaque patient est traité sur une base individuelle afin de découvrir la cause de son problème et de mettre au point le traitement le plus approprié. Les traitements employés par ces cliniques peuvent aller des médicaments comme l'ergotamine, les antidépresseurs et les bêta-bloquants jusqu'à des méthodes non médicamenteuses comme le bio-feedback, la régulation du sommeil, les régimes alimentaires et, si nécessaire, une aide psychiatrique. Ces cliniques disposent sur place d'un équipement de diagnostic comme des électrocardiographes (ECG) et des électroencéphalographes (EEG).

Ces cliniques doivent pratiquer des examens très complets. Votre première visite comprendra probablement un interrogatoire détaillé sur votre santé et vos maux de tête. Celui-ci peut durer plus d'une heure car il est très précis. Après l'interrogatoire, vous subirez certainement un examen neurologique complet avec examen du sang et des urines, et un électrocardiogramme. L'équipe pluridisciplinaire discutera ensuite du diagnostic et du traitement avec vous et des visites de suivi qui seront certainement nécessaires.

LES CLINIQUES DE LA DOULEUR

Dans un tel établissement, vous pourrez trouver une équipe complète spécialement formée à des méthodes de traitement de la douleur en général. Comme le personnel d'une clinique des céphalées, des spécialistes de différentes disciplines œuvrent ensemble pour établir le diagnostic et traiter les patients. Une clinique digne de ce nom aura une approche holistique sans favoriser une technique en particulier et pourra être affiliée à un hôpital ou à un centre médical. Votre médecin devrait être capable de vous en indiquer une de bonne réputation. Dans le cas contraire, renseignez-vous auprès d'un centre hospitalier universitaire ou d'une faculté de médecine.

Ces cliniques ne peuvent toutefois pas vous garantir la guérison. Comme toutes les autres possibilités que vous aurez pu examiner pour vous soulager, celle-ci peut agir ou non sur vos maux de tête.

CHAPITRE 10

Les problèmes de diagnostic

Si vous consultez un médecin pour vos maux de tête, ce dernier devrait vous faire subir un examen complet et détaillé, et réaliser avec vous l'historique complet de votre affection. Si vous prenez des médicaments pour elle ou pour d'autres, n'oubliez pas de le lui préciser. Parlez-lui aussi des médicaments sans prescription que vous utilisez régulièrement ou souvent. (Vos analgésiques habituels peuvent être devenus inefficaces et certaines recherches laissent penser que leur usage à long terme risque même de déclencher les douleurs.)

L'HISTORIQUE DE VOS MAUX DE TÊTE

Un interrogatoire soigneux du médecin devrait l'amener à émettre un diagnostic précis, même dans les cas difficiles. Ce dernier se servira de l'historique de vos maux de tête pour tenter d'en découvrir le modèle et d'en préciser le type, car il ne peut pas les traiter efficacement sans cela. Voici les renseignements qu'il vous demandera:

- Décrire vos maux de tête. (Le journal des maux de tête du chapitre 2 devrait vous y aider.) Si vous souffrez de plusieurs types, n'oubliez pas de le lui mentionner et de les décrire tous.

- Préciser quel était votre âge lorsqu'ils ont commencé et le moment auquel le type dont vous souffrez actuellement a commencé.

- Indiquer l'heure de la journée ou de la nuit à laquelle vous risquez le plus d'en souffrir.

- Montrer le siège habituel de vos douleurs. Pour le diagnostic, c'est un détail important de savoir si la douleur est généralisée ou ne touche qu'un seul côté de la tête. Définir un point précis, comme un œil, par exemple, devrait permettre de mieux cerner les possibilités.

- Établir la fréquence de vos maux de tête. Vos douleurs sont-elles quotidiennes ou hebdomadaires? Sont-elles en relation avec votre cycle menstruel? Vos maux de tête n'apparaissent-ils que pendant les vacances ou les fins de semaine? Sont-ils saisonniers? Apparaissent-ils pendant un certain temps et disparaissent-ils ensuite pendant des mois?

- Indiquer la durée d'une crise typique. S'installe-t-elle soudainement et disparaît-elle rapidement? En souffrez-vous pendant des heures ou pendant des jours?

- Évaluer l'intensité de la douleur. Essayez de la qualifier comme sévère, modérée, intense, énervante ou autre. Décrivez-la de votre mieux avec vos propres mots.

- Préciser si la crise douloureuse est précédée d'une phase préalable et, dans l'affirmative, quels en sont les signes avant-coureurs. Vos maux de tête sont-ils précédés par des troubles de la vision ou de la parole?

- Faire la liste des manifestations qui les accompagnent. Précisez, par exemple, si vos yeux pleurent ou si votre nez coule au cours des crises. Avez-vous des nausées, des étourdissements ou d'autres manifestations en même temps?

- Préciser les facteurs qui semblent les déclencher (aliments, menstruations, fatigue, tensions, problèmes conjugaux, exercice violent, exposition au soleil ou absorption d'alcool). Si les menstruations semblent en être un, le médecin vous fera préciser si les maux de tête disparaissent pendant la grossesse et si la ménopause les a soulagés.

- Préciser si votre sommeil en est affecté, que ce soit par une difficulté à vous endormir le soir ou une tendance à vous réveiller très tôt le matin.
- Faire l'historique des maux de tête dans votre famille. Un autre de ses membres en souffre-t-il? Dans l'affirmative, quel est leur type? Il vous demandera de faire l'historique médical complet de toute la famille avec la liste de ses maladies.
- Détailler tous les facteurs affectifs stressants qui pourraient entrer en jeu. Vos vies familiale, professionnelle, sexuelle et sociale vous donnent-elles satisfaction, ou l'une d'elles vous perturbe-t-elle ou vous stresse-t-elle?
- Préciser tous les facteurs environnementaux pouvant jouer un rôle dans vos maux de tête. Avez-vous récemment respiré des gaz, des vapeurs ou des émanations à la maison ou au travail?
- Remarquer une éventuelle régularité saisonnière dans vos maux de tête. Sont-ils plus gênants au printemps ou à l'automne? Semblent-ils s'aggraver aux alentours de certaines dates? Souffrez-vous d'allergies saisonnières en même temps que vos maux de tête?
- Raconter tous les accidents ayant pu vous causer un traumatisme à la tête sans omettre les petits chocs.
- Faire la liste de tous les détails récents d'intérêt médical — s'il y a lieu, votre médecin voudra tout savoir sur une ponction lombaire, une intervention chirurgicale au cerveau ou des antécédents de crises d'épilepsie ou de tuberculose. Toute affection de vos yeux, de vos oreilles, de votre nez et de vos dents doit aussi être exposée à ce moment-là.
- Lui donner les copies de tout dossier médical pouvant avoir un rapport avec vos maux de tête. Si vous avez consulté un autre médecin pour les mêmes raisons, vérifiez que celui qui vous examine actuellement possède tous les renseignements et les résultats des examens déjà effectués. Selon leur date d'exécution, il n'est peut-être pas nécessaire de les refaire maintenant.

- Lui préciser les médicaments déjà essayés pour vos maux de tête. Ceux qui ont été efficaces et ceux qui ne l'ont pas été. Les méthodes ou les traitements non médicamenteux essayés. Ceux qui ont été efficaces, s'il y en a eu. Si vous souffrez d'allergie ou d'hypersensibilité à certains médicaments, n'oubliez pas, bien entendu, de le mentionner.
- Lui préciser les médicaments que vous prenez actuellement pour vos maux de tête ou pour d'autres affections.

LES EXAMENS PHYSIQUE ET NEUROLOGIQUE

Après avoir écouté l'historique de vos maux de tête et vous avoir posé toutes les questions utiles, le médecin devrait vous faire subir un examen physique complet (avec pesée, prise du pouls et mesure de la tension artérielle). Cet examen est habituellement suivi d'un examen neurologique. Voici quelques-unes des recherches que votre médecin va pratiquer au cours de cet examen.

Observations générales

En faisant ses observations, le médecin va parler avec vous et remarquer des signes ou des détails qui pourraient l'aider dans son diagnostic. Tout en bavardant, il pourrait, par exemple, remarquer des signes de tension ou de dépression nerveuse ou, si vous êtes migraineux, des signes de perfectionnisme que vous auriez pu inconsciemment oublier de lui signaler. Comme dans le cas des victimes de céphalées unilatérales périodiques, même certaines caractéristiques du visage peuvent lui fournir des indices.

Examen physique

Le médecin vous fera subir un examen physique détaillé. Il recherchera probablement une hypertension artérielle, des malformations de la colonne vertébrale ou des problèmes de vésicule biliaire. Pour écarter certaines maladies, il peut aussi prescrire des examens de laboratoire comme la numération globulaire, la chimie du sang et des urines. Si nécessaire, il peut encore demander des radiographies du crâne, une scanographie, un examen par résonance magnétique nucléaire ou une angiographie. Des tests psychiatriques peuvent présenter un intérêt s'il suspecte des troubles affectifs. Il examinera votre tête pour toute région douloureuse au toucher, toute trace d'infection locale, tout problème de sinus ou tout spasme douloureux du nerf trijumeau. Il recherchera aussi les spasmes douloureux du dos ou la perte de mobilité de la colonne vertébrale. Dans un examen complémentaire, le neurologue vérifiera la coordination de vos mouvements en observant votre démarche, votre station sur un seul pied, votre aptitude à toucher le bout de votre nez avec votre doigt et à rattraper une balle. Vos réflexes seront aussi mesurés. Il examinera la fonction motrice de votre nerf trijumeau en vous faisant ouvrir les mâchoires malgré une immobilisation volontaire. Il examinera aussi le bon fonctionnement de vos nerfs faciaux.

Un examen des yeux peut aussi être ajouté. Le médecin recherchera un trouble de la vision ou un éventuel glaucome. Il peut aussi effectuer un test d'audition simple.

AUTRES EXAMENS

L'historique de vos maux de tête et les examens généraux sont parfois insuffisants pour le diagnostic. D'autres examens peuvent s'avérer indispensables pour une étude plus approfondie de vos maux de tête. Ils peuvent être prescrits si:

- Votre douleur est chronique et persistante.
- Les divers médicaments et traitements n'agissent pas sur vos maux de tête.
- Une maladie sous-jacente est suspectée.
- Vous souffrez de maux de tête quand vous êtes fatigué.
- Vous faites des crises d'épilepsie.
- Le type de vos maux de tête a changé.
- Vos maux de tête n'entrent pas dans un cadre connu et sont impossibles à diagnostiquer.

Certains médecins préconisent que des radiographies du crâne, une scanographie, un examen par résonance magnétique nucléaire et un électroencéphalogramme soient effectués systématiquement pour pouvoir écarter toute possibilité d'atteinte physiologique.

Toutes les fois qu'un médecin vous suggère un examen, il doit vous informer de ses raisons. Il doit aussi vous faire part de tous les risques que celui-ci peut vous faire courir. Par exemple, les radiographies comportent un danger d'irradiation et ne sont pas conseillées à la femme enceinte. Une ponction lombaire peut entraîner de pénibles maux de tête. À ce jour, la scanographie et la résonance magnétique nucléaire semblent présenter relativement peu de risques.

Le tableau suivant devrait vous éclairer sur les examens à pratiquer selon les affections suspectées.

Affection suspectée	*Examens nécessaires au diagnostic*
mal de tête commun	examen physique historique des maux de tête examen neurologique électroencéphalogramme (EEG) radiographies du crâne examen des yeux examen du sang

Affection suspectée	*Examens nécessaires au diagnostic*
	scanographie électromyographie résonance magnétique nucléaire
migraines céphalées unilatérales périodiques	les mêmes que ci-dessus thermographie
fracture du crâne blessure à la tête caillot de sang tumeur	radiographies du crâne scanographie scanographie résonance magnétique nucléaire
méningite maladie du cerveau	ponction lombaire scanographie
hydrocéphalie épilepsie	résonance magnétique nucléaire électroencéphalogramme
sinusite	radiographies du crâne résonance magnétique nucléaire scanographie
glaucome	tomographie
infarctus anévrisme	angiographie ponction lombaire scanographie résonance magnétique nucléaire
artérite temporale	vitesse de sédimentation globulaire biopsie de l'artère temporale
douleurs chroniques dues à une affection de l'articulation temporo-maxillaire	radiographie de l'articulation temporo-maxillaire examen dentaire résonance magnétique nucléaire de l'articulation temporo-maxillaire

Affection suspectée	*Examens nécessaires au diagnostic*
affections de la moelle osseuse	radiographies de la colonne vertébrale électromyographie résonance magnétique nucléaire

Voici maintenant quelques explications à propos de ces différents examens.

Radiographies

Des radiographies du crâne et de la colonne cervicale (cou) peuvent être nécessaires. Elles donnent une image des os mais ne peuvent expliquer ce qui se passe dans le cerveau. On les a remplacées aujourd'hui par un examen plus sophistiqué, la scanographie (voir plus loin). Des radiographies ordinaires peuvent montrer les signes indirects d'une tumeur alors que la résonance magnétique nucléaire et la scanographie la montrent clairement et directement. Des radiographies montrent toutefois les signes des lésions ou des difformités du crâne. Des radiographies du cou montrent la présence d'arthrite, de fractures et d'autres anomalies osseuses. Les affections des sinus sont visibles sur les radiographies du crâne et des sinus. Sauf en cas de nécessité absolue, les femmes enceintes doivent éviter les radiographies. Des écrans de protection en plomb seront néanmoins utilisés pour diminuer la quantité de rayons X projetés sur les autres parties de leur corps.

Électroencéphalogramme (EEG)

L'électroencéphalogramme est un enregistrement de l'activité du cerveau et des ondes électriques qu'il émet. Pendant son déroulement, le patient doit demeurer calme avec des électrodes fixées sur son cuir chevelu. L'activité du cerveau apparaît sous forme de lignes ondulées tracées sur une feuille de papier et elle peut être lue et interprétée par un technicien qualifié ou un médecin. L'examen est indolore mais parfois légèrement inconfortable. Le tracé des ondes peut montrer des signes d'épilepsie ou même la présence d'une tumeur au cerveau. L'électroencéphalogramme peut toutefois participer au diagnostic de votre type de maux de tête.

Scanographie

La scanographie — tomodensitométrie axiale assistée par ordinateur, *CAT Scan* ou encore «scanner» — est une forme de radiographie extrêmement sophistiquée. Pour la scanographie du cerveau, un fin pinceau de rayons X en réalise une «vue en coupe». De nombreux clichés sont effectués sous différents angles puis transmis à un ordinateur par l'intermédiaire d'un appareil électronique appelé scintillateur. L'ordinateur reconstruit une image du cerveau avec des zones noires, grises et blanches qui figurent les os, les liquides et les tissus. L'image finale peut être examinée sur un écran cathodique ou enregistrée sur un film. La réalisation de chaque coupe du cerveau ne demande qu'une ou deux secondes et expose à moins de rayons X qu'une radiographie ordinaire. En moyenne, cet examen comporte de 10 à 14 coupes de la tête et dure environ trente minutes.

Ponction lombaire

La ponction lombaire est le recueil pour fins d'analyse d'un échantillon de liquide céphalo-rachidien — le liquide qui baigne le cerveau et la moelle épinière. Cet examen facilite le diagnostic de nombreuses affections du système nerveux comme la méningite et les anévrismes. Il s'effectue en enfonçant une fine aiguille dans le bas du dos au moyen de laquelle du liquide céphalo-rachidien est ponctionné. Le patient peut être couché sur le côté en position fœtale ou assis sur un siège et penché en avant. Cet examen est parfois désagréable mais il n'est pas douloureux. Un de ses effets secondaires est l'apparition éventuelle de maux de tête après quelques heures chez certains patients. La scanographie remplace de plus en plus la ponction lombaire comme outil de diagnostic, bien que celle-ci demeure encore un examen très important.

Angiographie cérébrale

L'angiographie cérébrale est essentiellement une radiographie des artères du cerveau. Un liquide de contraste est injecté au niveau du cou pour opacifier les artères qui seraient autrement invisibles aux rayons X. Une série de clichés est prise pour examiner la circulation du sang dans le cerveau. Cet examen peut révéler des anévrismes passés inaperçus à la scanographie. Il sert aussi à diagnostiquer les malformations vasculaires et à les localiser.

Électromyographie

L'électromyographie est un examen qui permet de découvrir les maladies affectant les muscles, la moelle épinière et les nerfs rachidiens. Elle mesure leur activité en réponse à une stimulation électrique effectuée par des électrodes ou des aiguilles.

Résonance magnétique nucléaire

Pour un examen par résonance magnétique nucléaire — ou imagerie de résonance magnétique nucléaire —, le patient est installé dans le champ magnétique d'un gros aimant et des images en coupe de son cerveau sont reconstruites par un ordinateur. Le principe de cet examen est beaucoup plus compliqué que celui de la scanographie. Il a toutefois l'avantage de ne pas émettre de rayons X, d'être parfaitement sûr et de donner des images très précises et très détaillées du cerveau ou d'autre parties du corps. Certains patients trouvent cet examen désagréable car il les maintient dans un étroit tunnel pendant quarante-cinq minutes au cours desquelles ils sont isolés et entendent le crépitement de l'appareil. À cause du champ magnétique, les patients porteurs de stimulateurs cardiaques *(pace makers)*, d'autres composants électroniques et d'agrafes ou de broches métalliques ne peuvent pas y être soumis.

Même après que les examens ont été terminés et que l'historique des maux de tête a été étudié, leur cause reste parfois difficile à diagnostiquer. Toutefois, dans la plupart des cas, un examen parvient à confirmer un doute ou bien un traitement s'avère efficace.

Parfois, des types de maux de tête complètement différents peuvent se ressembler beaucoup. Par exemple, la différence entre des céphalées de tension et des migraines — au demeurant fort dissemblables — peut parfois passer inaperçue. Différencier une céphalée de tension d'une migraine n'est pas toujours facile. Des symptômes qui avaient jusqu'à récemment été considérés comme spécifiques aux céphalées de tension — la tension des muscles de la nuque, par exemple — se retrouvent aujourd'hui dans les migraines. De plus, certaines statistiques concernant ces deux types de maux de tête sont assez semblables: ils se rencontrent plus fréquemment chez la femme, sont de nature génétique et apparaissent au même âge. Des chercheurs pensent aujourd'hui que, bien qu'ayant des symptômes différents, ces deux types de maux de tête peuvent provenir du même trouble neurologique. Armez-vous donc de patience si votre diagnostic tarde à être posé. Il arrive parfois que plus de temps et plus d'examens soient nécessaires pour découvrir leur véritable cause.

Dans l'intervalle, toutefois, ne cessez pas de chercher des solutions à votre problème. N'abandonnez jamais votre objectif qui est de mener une vie sans souffrance. La maîtrise de vos maux de tête peut vraiment devenir une réalité. Continuez de les surveiller et revenez, si nécessaire, à votre journal du chapitre 2. Essayez les diverses méthodes de soulagement et de traitement expliquées dans ce livre et adressez-vous à un spécialiste, à une clinique des maux de tête ou de la douleur si vous ne parvenez pas à trouver le soulagement ailleurs.

CHAPITRE 11

Les problèmes affectifs

Si vos maux de tête ne disparaissent pas, il vous faut trouver des moyens de les empêcher de dominer et d'empoisonner votre vie personnelle, professionnelle et familiale.

Ce n'est pas facile d'être malade. Lorsque vous souffrez, vous vous sentez certainement désolé, vous vous irritez de ce qui vous arrive et vous avez peur de la maladie dont cette douleur risque d'être le symptôme. En lisant ce livre, en rédigeant le journal de vos maux de tête et en consultant un médecin, vous franchissez les premières étapes qui mènent à la maîtrise de vos sentiments négatifs et de vos douleurs.

De plus, n'étant pas en pleine possession de vos moyens, vous risquez d'avoir plus d'attentes envers votre famille et de lui demander plus d'attentions tant sur le plan physique qu'affectif. Lorsque vous souffrez régulièrement de maux de tête, votre famille souffre aussi. Il est évident que tout ce qui vous touche l'affecte également, mais d'une manière différente. Ses membres risquent de ne pas être aussi compatissants que vous l'auriez souhaité, mais ne vous attendez pas non plus à recevoir un télégramme de sympathie pour une crise de migraine. En réalité, ceux qui vous touchent de près sont certainement très affectés de vous voir souffrir. Ils ne peuvent pas partager vos douleurs et risquent même de penser que vous les avez sollicitées. La consultation d'un médecin et l'établissement d'un diagnostic précis balaiera leurs doutes sur les éventuels troubles affectifs dont ils pourraient vous taxer.

Dans de nombreux cas, vous risquez de ne pas trouver beaucoup de sympathie auprès de votre famille, mais essayez de considérer le problème de son point de vue. Ses membres ne peuvent pas juger de la réalité de vos maux de tête comme ils le feraient d'un plâtre sur un bras cassé. L'enfant affamé qui revient de l'école ne saura pas être désolé pour sa mère qui a mal à la tête; il sera plutôt furieux que *ses* besoins ne soient pas satisfaits. La seule chose que votre famille connaît de vos maux de tête est la gêne qu'*elle-même* en éprouve.

En réalité, un adulte normal risque d'épuiser sa réserve de sympathie pour un membre de sa famille malade en l'espace de quelques jours. Dans le couple, un conjoint ne peut materner l'autre que jusqu'à ce qu'il pense: «Encore un mal de tête. Bon d'accord mais *ma* vie, elle, continue.» Pour éviter un tel conflit, le conjoint souffrant doit pouvoir apporter au couple ce qu'il en retire lui-même. Essayez de compenser d'une autre manière l'intérêt que les membres de votre famille vous manifestent et l'aide qu'ils vous apportent lorsque vous vous sentez mal. Demandez à votre conjoint comment s'est passée sa journée plutôt que de vous plaindre de la vôtre; faites-vous livrer un repas tout préparé si vous êtes incapable de cuisiner; demandez à un enfant d'enfiler lui-même ses chaussures plutôt que de le laisser vous harceler. Lorsque vous souffrez de maux de tête, les activités les plus simples peuvent être très difficiles. À ce stade, elles peuvent même devenir impossibles à accomplir, car la douleur peut vous empêcher de penser à autre chose. Mais un tel effort de votre part récompensera votre famille et la rendra plus disposée à vous offrir amour et soutien. Il est donc important que vous fassiez un effort en pensant à elle.

Si vous avez besoin que votre conjoint fasse certaines choses pour vous lorsque vous avez mal à la tête, il vaut beaucoup mieux les lui demander clairement. Le fait que vous viviez ensemble ne signifie pas que vous puissiez lire mutuellement dans vos esprits comme dans un livre ouvert. Si vous avez besoin que votre conjoint couche les enfants parce que vous souffrez d'une migraine, dites-le-lui carrément. Si vous souhaitez qu'il regarde la télévision dans une autre pièce pendant votre crise, demandez-le-lui gentiment. Si vous pensez que cela peut l'aider à comprendre, expliquez-lui comment la migraine vous affecte et combien les mouvements de la tête, la lumière et le bruit sont douloureux.

Votre conjoint peut être heureux de vous aider à prendre des mesures préventives pour vos maux de tête. Il pourrait vous aider à faire vos exercices de relaxation en vous parlant à voix basse ou en vous murmurant: «Détends ton bras», avant de passer en revue toutes les parties de votre corps. Il peut être un véritable «don du ciel» si ses massages parviennent à vous soulager. Malheureusement, la majorité des maris et des femmes ne sont pas prêts à s'entraider parce qu'ils ne comprennent pas la douleur de l'autre. Dans sa lettre au magazine *Prevention,* une femme s'étonnait et ne comprenait pas pourquoi «un simple mal de tête» pouvait avoir brisé son couple comme il l'avait fait.

Si votre relation ou votre individualité en souffre, l'aide d'un psychiatre ou d'un thérapeute pourrait vous permettre de faire le point sur cette question. N'ayez pas peur de faire appel à un expert. Vos maux de tête peuvent être en partie causés par le stress psychologique et les conflits. Le fait d'aller au fond des problèmes pourrait vous aider à les faire disparaître. Demandez à votre médecin qu'il vous indique un tel spécialiste.

LA DÉNÉGATION

Certaines victimes de maux de tête consacrent beaucoup d'énergie à les nier. Les hommes, en particulier, croient souvent qu'ils ne sont pas censés être malades. Un homme qui souffre de céphalées peut décider que ce ne sont pas de «simples maux de tête qui vont l'arrêter». Elles peuvent l'effrayer et lui faire craindre de finir par devenir dépendant d'autrui. Il ira donc travailler avec sa «moitié de tête» et s'attendra à être traité en héros.

Malheureusement, les maux de tête chroniques ou violents arrêtent parfois *vraiment* les gens, et tous ceux qui en sont victimes doivent affronter cette réalité. N'accusez pas le traitement au lieu d'admettre vos faiblesses. Si vous cessez de composer avec vos douleurs, vous leur abandonnez le contrôle de votre vie. Reconnaissez que quelque chose ne va pas, découvrez tout ce qu'il vous est possible de découvrir à leur sujet, prenez des mesures pour les éviter et, si nécessaire, demandez l'aide d'un médecin.

LA RELATION PARENT-ENFANT

Les enfants ont tendance à penser qu'ils sont toujours responsables de ce qui ne va pas dans la maison. Si son père ou sa mère est malade, l'enfant peut croire qu'une de ses attitudes en est la cause. Il est donc important de le déculpabiliser. Faites-lui savoir aussi clairement que possible que votre maladie n'a strictement rien à voir avec son comportement.

Si possible, assurez-le que vous redeviendrez disponible un peu plus tard. Vous pourriez lui dire, par exemple, que vous ne vous sentez pas très bien pour l'instant mais que vous lui lirez une histoire à son coucher. Il est bon de lui faire comprendre que vous avez parfois besoin de sa collaboration en baissant le son de la télévision ou en allant vous chercher quelque chose. Lorsque vous souffrez de maux de tête, vous pouvez avoir envie de crier des ordres comme «Arrête cette musique!» ou «Ferme cette porte!». Évitez les commandements car ils motivent rarement ceux qui les reçoivent. Essayez de conserver votre gentillesse malgré votre humeur massacrante et vous obtiendrez de meilleurs résultats. L'ajout d'un «S'il te plaît...» ou d'un «Aurais-tu la gentillesse de...» attire souvent des comportements très coopératifs.

Laissez l'enfant choisir la manière dont il peut vous aider. Dites-lui: «Les chemises sont prêtes à la blanchisserie et il faudrait sortir les ordures. Que pourrais-tu faire aujourd'hui?» Les experts suggèrent de récompenser l'enfant qui vous aide *véritablement*. Selon son âge, vous pourriez lui laisser regarder un vidéo, lui donner de l'argent de poche ou simplement l'embrasser et le remercier. Toutefois, *ne le corrompez pas pour qu'il fasse quelque chose*, car il pourrait se sentir utilisé et en avoir du ressentiment. Il y a une grande différence entre la récompense et la corruption. Pour l'aspect positif, le fait que vous ayez besoin de lui pendant certains mauvais moments peut l'amener à se sentir mieux considéré.

Si vous trouvez que vos douleurs vous font perdre toute patience vis-à-vis de l'enfant en bas âge, retirez-vous du tableau. Quittez la pièce et, si possible, demandez à quelqu'un d'autre de prendre le relais. Respirez profondément. Prenez une douche. Comptez lentement jusqu'à dix. Téléphonez à une amie avec laquelle vous pouvez rire et reconsidérez la situation avec un regard neuf.

UNE QUESTION DE MAÎTRISE

Même avec beaucoup de prévention, les maux de tête risquent parfois de vous assaillir sans avertissement. Il peut être difficile d'accepter que, même si vous parvenez à enrayer la plupart de vos maux de tête, il vous est impossible de les bannir entièrement. Certaines personnes réagissent à cette incapacité en se contraignant un peu plus durement. Elles peuvent s'imaginer qu'elles doivent abattre le travail de trois jours en un seul parce qu'elles craignent d'avoir mal le lendemain. Cette attitude ne fait qu'ajouter au stress qui peut faire empirer les douleurs.

Soyez bon avec vous-même. Résignez-vous à admettre que vous risquez d'avoir des maux de tête le lendemain, mais que vous avez fait tout votre possible pour les éviter. Acceptez le fait que vous risquez d'en souffrir de temps à autre. Évaluez bien *vos limites*, et insistez sur ce qui est en votre pouvoir. Par exemple, si vous savez que certains aliments ou certaines heures de sommeil les déclenchent, n'hésitez pas à agir dans ce domaine. Ne gaspillez pas votre énergie à combattre le fait que vous souffrez parfois de maux de tête, mais faites en sorte de les éviter de votre mieux.

TRAVAIL ET MAUX DE TÊTE

Il est certain que vos maux de tête interfèrent parfois avec votre travail. Arrangez-vous pour éviter ce problème. Tout d'abord, cherchez l'aide de la médecine toutes les fois que les douleurs vous empêchent d'effectuer votre travail. Avec le bon diagnostic et le bon traitement, vous devriez pouvoir faire diminuer notablement le nombre et la gravité des crises douloureuses. Utilisez des méthodes de prévention pour éviter leur déclenchement: sortez du bureau pour le repas de midi, respirez profondément dès que la douleur s'aggrave, quittez le bureau avec dix minutes d'avance si vous souffrez vraiment. Bien que vous risquiez d'avoir besoin d'utiliser vos jours de congé disponibles, ne mettez pas tout le personnel du bureau au courant de votre problème. Essayez de parler le moins possible de votre affection car il y a peu de chances que vos collègues vous témoignent de la sympathie si vous ne parvenez pas à effectuer votre travail ou à participer normalement.

LA DÉPENDANCE À L'ÉGARD DES MÉDICAMENTS

Les victimes de maux de tête courent de gros dangers de devenir dépendantes des médicaments. Ceux que vous prenez en ce moment risquent d'avoir cet inconvénient. Veillez à ce que votre médecin vous explique tous les risques et les effets secondaires des médicaments qu'il vous prescrit. Ne vous illusionnez pas en pensant que ceux qui ne nécessitent pas de prescription sont plus fiables et créent moins de dépendance que les autres. Même l'aspirine peut être mal utilisée et prise en trop grande quantité.

Il arrive que des facteurs psychologiques soient responsables de la dépendance. La dépression, l'angoisse et l'insécurité peuvent toutes conduire à la dépendance, mais vous pouvez discuter des solutions envisageables avec un médecin. Soignez vos troubles psychologiques avant qu'ils s'ajoutent au reste de vos problèmes.

Il arrive parfois que certaines personnes attirent l'attention sur elles en abusant de médicaments car elles se croient ignorées tant qu'elles sont en bonne santé. Si cela vous arrive, à vous-même ou à quelqu'un de votre connaissance, demandez l'aide d'un spécialiste.

Certains patients devenus dépendants aux médicaments finissent par se retrouver à l'hôpital lorsqu'ils cessent de les prendre. N'oubliez pas que vous cherchez à vous débarrasser de vos maux de tête et non pas à remplacer un problème de santé par un autre.

Glossaire

Acétaminophène: Substitut de l'aspirine. Comme l'aspirine, l'acétaminophène diminue la douleur et fait baisser la fièvre mais n'en a pas les effets secondaires comme l'irritation de l'estomac.

Acupuncture: Très ancienne méthode chinoise de soulagement de la douleur. Son efficacité donne lieu à un certain débat.

Affection de l'articulation temporo-maxillaire: Atteinte de l'articulation de la mâchoire qui est quelquefois responsable de maux de tête.

Analgésique: Médicament pour le soulagement de la douleur. Un analgésique fait reculer le seuil de perception de la douleur et diminue, par conséquent, la sensation douloureuse. La gamme des analgésiques s'étend de l'aspirine ou de l'acétaminophène jusqu'aux stupéfiants.

Anévrisme: Affaiblissement de la paroi d'un vaisseau sanguin qui ballonne et risque d'éclater. Dans certains cas, la rupture d'un anévrisme risque de provoquer la paralysie ou la mort.

Artérite temporale: Inflammation des artères de la tête et du cou qui provoque des maux de tête et demande une attention médicale immédiate.

Arthrite: Inflammation des articulations qui provoque une raideur et des douleurs lors de mouvements.

Bio-feedback: Méthode de contrôle des fonctions automatiques de l'organisme comme le tonus musculaire et la température des mains.

Céphalées de la «gueule de bois»: Maux de tête consécutifs à la consommation d'alcool qui provoque la dilatation et l'irritation des vaisseaux sanguins du cerveau.

Céphalées de la sinusite: Maux de tête causés par la congestion des sinus.

Céphalées de l'hypertension: Maux de tête qui affectent ceux dont la tension artérielle est très élevée. La douleur en «bandeau» est plus violente le matin.

Céphalées d'épuisement: Maux de tête résultant d'une grande fatigue physique provoquée par l'exercice physique, la toux, le rire ou l'acte sexuel. Leur cause potentiellement grave nécessite une attention médicale immédiate.

Céphalées de sevrage de caféine: Maux de tête causés par la dilatation des vaisseaux sanguins après disparition de l'effet de contraction provoqué par la caféine.

Céphalées de tension: Maux de tête caractérisés par une rigidité des muscles de la tête et du cou. La douleur qui en résulte est constante et généralisée.

Céphalées d'origine tumorale: Maux de tête causés par une tumeur qui comprime le cerveau. Leurs manifestations comportent des crises d'épilepsie, des pertes de conscience, des vomissements en jet et des troubles de la parole.

Céphalées menstruelles: Maux de tête semblables aux migraines qui se produisent avec régularité tous les mois chez la femme et sont liés au cycle menstruel.

Céphalées unilatérales périodiques: Graves maux de tête dont la douleur ressemble à un taraudage ou à une brûlure. Elle affecte habituellement un seul côté de la tête et, bien que la crise soit habituellement brève, elle se reproduit assez régulièrement quelques jours ou quelques semaines plus tard. La crise est suivie par une période de latence pendant laquelle la victime ne souffre pas.

Douleurs vasculaires: Douleurs causées par la dilatation et la contraction des vaisseaux sanguins. La dilatation des vaisseaux de la tête provoque des douleurs lorsque ceux-ci compriment les nerfs voisins. Leur contraction fait diminuer l'apport du sang au cerveau. Les tissus avoisinants peuvent s'enflammer et des substances chimiques irritantes peuvent être libérées dans cette région.

Électromyographie: Examen utilisé pour mettre en évidence les affections des muscles, de la moelle épinière et des nerfs périphériques. Utilisée à des fins thérapeutiques, l'électromyographie peut servir à enseigner au patient la reconnaissance de la contraction ou de la détente de ses muscles.

Glaucome: Maladie de l'œil risquant de provoquer la cécité. Le glaucome est parfois la cause de maux de tête.

Hydrocéphalie: Augmentation sensible du volume du liquide céphalo-rachidien à l'intérieur du crâne qui provoque une dangereuse dilatation des ventricules cérébraux.

Hypoglycémie: Affection rare dans laquelle le taux de sucre du sang est insuffisant et qui est caractérisée par des vertiges, des sueurs et des étourdissements. L'hypoglycémie peut constituer un signe précoce de diabète.

Maux de tête allergiques: Maux de tête causés par une allergie saisonnière et accompagnés par le larmoiement des yeux et la congestion du nez.

Migraines: Maux de tête vasculaires qui affectent habituellement un seul côté de la tête ou un endroit précis comme l'œil. Ils sont parfois précédés de troubles de la vision.

Nerf trijumeau: Cinquième nerf crânien qui innerve le visage et la tête. Il transmet les impulsions nerveuses qui contrôlent les muscles des mâchoires.

Névralgies: Spasmes douloureux d'un nerf important. La douleur est aiguë, intense et lancinante. Il existe plusieurs types de névralgies qui affectent chacun une région différente. La névralgie du trijumeau, par exemple, touche les nerfs du visage.

Scanographie (scanner): Méthode de radiographie très sophistiquée permettant d'obtenir des images du cerveau.

Sérotonine: Substance chimique du cerveau qui est censée jouer un rôle dans les maux de tête.

Sinusite: Infection des voies respiratoires supérieures qui provoque la congestion des sinus en entraînant des douleurs au-dessus et au-dessous des yeux, et des maux de tête.

Stade précurseur (phase prodromique) de la migraine: Phase précédant l'apparition de la douleur dans une migraine classique et qui est caractérisée par des troubles de la vision et de la parole ainsi que d'autres manifestations.

Tic douloureux: Maladie neurologique rare mais grave qui affecte principalement la femme de plus de cinquante-cinq ans.

Traitement abortif: Remède ou traitement utilisé après que les maux de tête sont déjà installés. Par exemple, la prise d'aspirine est un traitement abortif.

Index

Table des matières

Ce livre est imprimé sur
du papier contenant plus
de 50% de papier recyclé
dont 5% de fibres recyclées.

Achevé   Imprimerie
d'imprimer Gagné Ltée
au Canada Louiseville